Bianca™

DUETO DE AMOR

JULIA JAMES

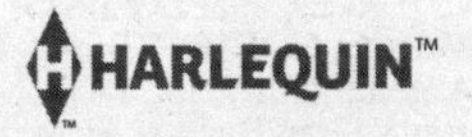

Editado por Harlequin Ibérica.
Una división de HarperCollins Ibérica, S.A.
Núñez de Balboa, 56
28001 Madrid

Dueto de amor, n.º 2492 - 21.9.16
Título original: A Tycoon to Be Reckoned With
Publicada originalmente por Mills & Boon®, Ltd., Londres.

I.S.B.N.: 978-84-687-8451-9
Depósito legal: M-23166-2016
Impresión en CPI (Barcelona)
Fecha impresion para Argentina: 20.3.17
Distribuidor exclusivo para España: LOGISTA
Distribuidores para México: CODIPLYRSA y Despacho Flores
Distribuidores para Argentina: Interior, DGP, S.A. Alvarado 2118.
Cap. Fed./Buenos Aires y Gran Buenos Aires, VACCARO HNOS.

Capítulo 1

SABES que la culpa es tuya.

La tía de Bastiaan trató de reírse mientras hablaba, pero sin conseguirlo. Bastiaan se percató perfectamente de ello.

–Fuiste tú quien le sugirió a Philip que se marchara a tu residencia de Cap Pierre.

–Pensaba que el hecho de marcharse para poder terminar en paz y tranquilidad los trabajos que tenía que realizar para la universidad podría ayudarle.

Su tía suspiró.

–Ya, pero parece que ha saltado de la sartén para caer en el fuego. Tal vez haya podido escapar de Elena Constantis, pero esa mujer de Francia es mucho peor.

Los ojos oscuros de Bastiaan adquirieron una expresión mordaz.

–Desgraciadamente, Philip será un objetivo esté donde esté.

–Si por lo menos fuera menos amable... Si tuviera tu... dureza –replicó la tía de Bastiaan mirando fijamente a su sobrino.

–Me lo tomaré como un cumplido –repuso secamente Bastiaan–, pero te aseguro que Philip se endurecerá. No te preocupes.

«Tendrá que hacerlo», pensó cáusticamente. Lo mismo que había tenido que hacerlo él.

–¡Es tan impresionable! –exclamó su tía–. Y tan

guapo. No es de extrañar que esas malditas mujeres lo conviertan inmediatamente en su objetivo.

«Y, por supuesto, tan rico», añadió silenciosamente él. No había motivo para preocupar más aún a su pobre tía. La riqueza de Philip, que este heredaría de su fallecido padre dos meses más tarde, cuando cumpliera los veintiún años, atraería a mujeres mucho más peligrosas que la mimada y fastidiosa Elena Constantis. El verdadero peligro provendría de un tipo de mujer muy diferente.

Cada uno podía llamarles como quisiera, pero a Bastiaan se le ocurrían una serie de nombres que no resultaban muy adecuados para los oídos de su tía. El más universal era el de cazafortunas. Mujeres que mirarían a aquel joven guapo e impresionable, que muy pronto se convertiría en un hombre muy rico, y se relamerían los labios con anticipación.

Precisamente aquel era el problema en aquellos momentos. Una mujer que parecía estar relamiéndose los labios al pensar en Philip. Y Bastiaan sabía que el peligro era muy real. Así se lo había informado Paulette, el ama de llaves que él tenía en su residencia de Cap Pierre. Philip, en vez de estar trabajando con diligencia en sus tareas universitarias, había comenzado a frecuentar la cercana ciudad de Pierre-les-Pins. Allí, acudía a un local que resultaba poco recomendable para un joven de veintiún años, aparentemente atraído por una mujer aún menos recomendable que trabajaba allí.

–¡Una cantante de un club nocturno! –aulló su tía–. ¡No me puedo creer que Philip se sienta atraído por una mujer así!

Bastiaan se puso de pie. Tenía una altura imponente, muy cercana al metro noventa, con un físico muy corpulento.

–No te preocupes –dijo tratando de tranquilizar a su

tía–. Yo me ocuparé de ello. Philip no se verá sacrificado por la avaricia y la ambición de una mujer.

Su tía se levantó también y le agarró de la manga.

–Gracias –le dijo–. Sabía que podía contar contigo. Cuida a mi adorado hijo, Bastiaan. Ya no tiene un padre que se ocupe de él.

Bastiaan apretó cariñosamente la mano de su tía. Sabía lo que se sentía al perder a un padre cuando se era aún demasiado joven. Él mismo había tenido que pasar por ese trance cuando no era mucho mayor que Philip.

–Te prometo que mantendré a salvo a Philip –le aseguró a su tía.

La acompañó a su coche y observó cómo este se alejaba por la carretera de acceso de la opulenta finca que Bastiaan tenía a las afueras de Atenas.

En realidad, los temores de su tía no eran infundados. Hasta que Philip cumpliera los veintiún años, Bastiaan era su albacea. Supervisaba sus finanzas y se ocupaba de sus inversiones mientras que Philip disfrutaba de una pensión más que generosa para cubrir sus gastos personales. Normalmente, Bastiaan no hacía más que echarle un ojo de vez en cuando al estado de las cuentas y a los gastos de la tarjeta de crédito, pero hacía una semana se había realizado un pago de veinte mil euros, una cantidad exorbitante. El cheque se había ingresado en una cuenta desconocida en la sucursal que un banco francés tenía en Niza. No había razón, una buena razón, que se le pudiera ocurrir a Bastiaan para que se hubiera realizado aquella transferencia. Sin embargo, sí que había una mala, y esa se la imaginaba perfectamente.

La cazafortunas había empezado a cazar...

El rostro de Bastiaan adquirió una expresión sombría. Cuanto antes se librara de aquella cantante que había encandilado a su primo, mejor. Se dirigió a su despacho. Si tenía que marcharse a Francia al día siguiente por la mañana, debía trabajar aquella noche.

La cínica sonrisa volvió a adornar el rostro de Bastiaan. Se sentó a su escritorio y encendió el ordenador. Le había dicho a su tía que su hijo se endurecería con el tiempo. Sabía por experiencia propia que eso era cierto. Los recuerdos hicieron brillar sus ojos oscuros.

Cuando su padre murió, él había aplacado el dolor con juergas incesantes y muy extravagantes, no tenía un tutor que moderara sus excesos. La aventura había terminado de repente. Estaba en un casino, bebiendo champán y presumiendo de su dinero, cuando este atrajo a una mujer. Leana. Con solo veintitrés años, él estaba encantado de poder disfrutar de todo lo que ella le ofrecía, incluso la compañía en la cama de su hermoso cuerpo. Ella le contó una historia. Por una estupidez, había incurrido en deudas con el casino y estaba muy preocupada al respecto. No sin alardear de ello, Bastiaan le ofreció un cheque más que generoso a la hermosa y sensual mujer que tan prendada parecía de él...

Ella desapareció el día en el que cobró el cheque. Según le habían contado a Bastiaan, se marchó en un yate que pertenecía a un millonario mexicano de setenta años. Bastiaan no volvió a verla nunca. La mujer le había desplumado sin pudor. El hecho de sentirse como un perfecto idiota le dolió mucho, pero había aprendido la lección. Una lección muy cara. No quería que Philip la aprendiera del mismo modo. Aparte de despojarle de su dinero, Leana le había herido también en su autoestima, una experiencia incómoda aunque muy reveladora para un joven de su edad que le hizo madurar inmediatamente. En aquellos momentos, ya cumplida la treintena, sabía que las mujeres lo consideraban un hueso duro de roer, cruel incluso...

La mirada se le endureció aún más. Aquella ambiciosa cantante no tardaría en descubrirlo personalmente.

Sarah estaba inmóvil en el escenario inferior, iluminada por el foco, mientras los espectadores seguían cenando y bebiendo y, en su mayoría, conversando animadamente con sus compañeros de mesa.

«Soy tan solo música de fondo», pensó ella ácidamente. Le hizo una seña a Max, que estaba sentado al piano, y él comenzó a tocar las notas iniciales del número. Resultaban sencillas, con un registro bajo, sin exigencias para Sarah. No importaba. Lo último que quería era arriesgar su voz cantando en aquel tugurio.

Mientras cantaba, se le elevaron los pechos y fue consciente entonces del escote tan profundo que tenía el vestido de color champán que llevaba puesto. Tenía su larga melena recogida sobre un hombro desnudo. Representaba la típica imagen de vampiresa, de bella cantante de un club nocturno. Sugerente vestido, voz profunda, exceso de maquillaje y de rizos en su rubio cabello.

Se tensó instintivamente. De eso se trataba, ¿no? Era la sustituta de la cantante habitual del club, Sabine Sablon, que había dejado sin previo aviso su puesto de trabajo tras huir con un rico cliente.

No había sido idea de Sarah, pero Max había sido muy claro al respecto. Si no accedía a cantar allí por las noches, Raymond, el dueño del club, se negaría a permitir que Max dispusiera del local durante el día. Sin eso, no podían ensayar y sin ensayos no podrían presentarse al festival de música de Provence en Voix.

Si no se presentaban, Sarah habría perdido su última oportunidad. La última oportunidad de conseguir su sueño, el sueño de dejar de ser una más entre las miles de aspirantes a soprano que, esperanzadas, esperaban hacerse un hueco en el mundo de la ópera. Si no lo conseguía, tendría que abandonar un sueño que tenía desde la adolescencia: el sueño de abrirse paso en un mundo tan competitivo y hacerse oír entre los que podrían hacerla destacar para conseguir lanzar su carrera.

Se había esforzado tanto y durante tanto tiempo... Se acercaba ya a la treintena y el tiempo estaba en su contra. Cantantes más jóvenes comenzarían a pisarle los talones. Aquella era su última oportunidad. Si fracasaba... Bueno, en ese caso, no le quedaría más remedio que aceptar la derrota y resignarse al mundo de la enseñanza. Así era como se ganaba la vida en aquellos momentos. Trabajaba a media jornada en Yorkshire, donde había nacido, pero su empleo le resultaba poco satisfactorio comparado con la excitación de las actuaciones en directo.

Por lo tanto, aún no estaba dispuesta a renunciar a sus sueños. Iba a esforzarse al máximo en aquel festival de música. Se lo jugaría todo a una carta cantando el papel de soprano de una ópera que se acababa de escribir, cuyo compositor era desconocido y acompañada de cantantes desconocidos. Todo estaba en el aire. Todo se realizaba con un presupuesto muy pequeño, ahorrando en todo lo que podían. Incluso en el espacio en el que Max dirigía los ensayos.

Por ello, todos los domingos, se convertía en Sabine Sablon y ronroneaba contra el micrófono para atraer las miradas de los hombres.

Un escalofrío se apoderó de ella. Dios santo; si alguien del mundo de la ópera descubría que estaba cantando allí, su credibilidad se haría pedazos. Nadie volvería a tomarla en serio.

Tampoco se parecía ningún personaje femenino de ópera como Violetta de *La traviata* o Manon al papel que ella tenía en la ópera de Anton, *La novia de la guerra*.

Su personaje era una jovencita romántica que se enamoraba de un aguerrido soldado. Tras un fugaz noviazgo, el ya esposo de la protagonista regresaba al frente. Las temidas noticias sobre el destino de su esposo no tardaban en llegar. Tras el dolor de la pérdida y el desconsuelo, nacía un niño que ocuparía el lugar de su padre en otra nueva guerra...

¿Qué se sentiría al amar tan fugazmente para después experimentar un dolor tan inmenso? Sarah se hacía a menudo esa pregunta mientras empezaba a preparar su papel. Ella no lo sabía. Jamás había experimentado el embriagador torbellino del amor ni la desolación del desamor. Su única relación seria había terminado un año antes, cuando Andrew, un violonchelista al que conocía desde el conservatorio, había tenido que marcharse a Alemania para formar parte de una prestigiosa orquesta. Había sido su único momento de sufrimiento en el amor, pero se había alegrado tanto por su buena suerte que se había despedido de él sin pensar en ningún momento en retenerlo.

Los dos siempre habían sabido que sus carreras profesionales eran lo primero en sus vidas. Por lo tanto, ninguno había sufrido en demasía al separarse. Se limitaron a desearse mutuamente buena suerte.

Sin embargo, eso significaba que para poder meterse en el papel de su personaje en *La novia de la guerra* tan convincentemente como pudiera, tendría que echar mano de su imaginación. De igual modo, tendría que recurrir a todas sus habilidades operísticas para hacerle honor a las exigencias vocales de una música que, a pesar de su belleza, era técnicamente muy difícil.

Cuando terminó su canción, recibió un atronador aplauso. Inclinó la cabeza como agradecimiento y, tras levantarla para mirar al público, sintió que un temblor le recorría la espalda. Max ya estaba presentando su próximo número, pero ella le ignoró. De repente, todos sus sentidos estaban en estado de alerta. Oyó que él repetía la frase y lo sorprendió mirándola con el ceño fruncido, pero la atención de Sarah estaba prendida de un rostro entre los espectadores.

Un hombre la estaba mirando muy atentamente desde la parte posterior de la sala. Aquel hombre no estaba allí unos segundos antes, por lo que debía de acabar de entrar. De repente, se sentía muy nerviosa, muy expuesta. Los ojos de los hombres la observaban constantemente y siempre había movimiento más allá del escenario debido a los comensales y a los camareros. Sin embargo, no producían en ella el mismo efecto que aquel hombre. Era como si hubiera algo diferente en él.

Por tercera vez, oyó que Max repetía la introducción, con más insistencia en aquella ocasión. Cuando empezó a cantar, su voz sonó más profunda y sugerente que nunca. Las largas pestañas postizas le abanicaban unos ojos enmarcados por un oscuro maquillaje. El cabello le acariciaba suavemente la mandíbula y la mejilla. Se obligó a seguir cantando para tratar de reprimir la turbadora sensación que se estaba apoderando de ella, la sensación de ser objeto de una atención centrada, como la luz del foco que la iluminaba, exclusivamente en ella.

De algún modo, consiguió terminar la canción. Salió rápidamente del escenario, pero uno de los camareros la interceptó.

–Hay un tipo que quiere invitarla a tomar una copa –le dijo.

Sarah esbozó un gesto de desaprobación. No era raro que le ocurriera algo así, pero nunca aceptaba. El camarero le mostró un billete de cien euros.

–Parece que tiene muchas ganas de conocerla.

–Pues es el único. Es mejor que se lo devuelvas –añadió ella–. No quiero que piense que me lo he guardado a pesar de no presentarme ante él.

Durante un instante, se le pasó por la cabeza que aquella invitación podría estar relacionada con la figura en penumbra que había visto al fondo de la sala, pero no tardó en descartar aquella suposición. Lo único que quería hacer en aquellos momentos era quitarse su disfraz y marcharse a la cama. Max empezaba los ensayos muy pronto por las mañanas y necesitaba dormir.

Acababa de llegar al camerino cuando alguien llamó a la puerta. Apenas tuvo tiempo de preguntar de quién se trataba cuando la puerta se abrió.

–¿Quién es...?

Había dado por sentado que sería Max. Sin embargo, se encontró frente a frente con un hombre que jamás había visto antes.

Un hombre que le cortó por completo la respiración.

Capítulo 2

LOS ojos de Bastiaan se centraron en la mujer que estaba sentada frente al iluminado tocador. Como estaba de espaldas frente al típico espejo rodeado de bombillas redondas, el rostro de aquella mujer quedaba en penumbra. A pesar de las sombras, el impacto de aquel rostro fue muy potente. De hecho, más que ocultarlo, parecían enfatizarlo y darle relieve. Sobre el escenario, había estado iluminada por un potente foco y sus rasgos se habían visto suavizados por la distancia a la que él estaba. Deliberadamente, había elegido una mesa en la parte posterior de la sala para poder observar sin que nadie se percatara de él. No había tardado más de dos segundos en darse cuenta de que la mujer que estaba en el escenario poseía una cualidad muy peligrosa para su joven e impresionable primo: la seducción.

Aquella palabra fue lo primero que se le ocurrió al ver la sensual figura que cantaba en el escenario, ataviada con un sugerente vestido de raso, iluminada por la suave luz de un foco y agarrando con ligereza el micrófono mientras la lustrosa melena rubia le caía dulcemente sobre un hombro desnudo. Parecía la típica imagen de mujer fatal de los años cuarenta.

Sin embargo, al verla de cerca, resultaba aún más seductora. No era de extrañar que Philip estuviera colado por ella.

Mientras la observaba, le sorprendió que ella se sonrojara suavemente. Entonces, al ver cómo ella fruncía los labios, comprendió que se había equivocado al interpretar aquella reacción. No era rubor. Una mujer como ella seguramente no se había sonrojado desde la pubertad. Era enojo.

Se preguntó por qué. Normalmente, las mujeres no se enojaban cuando él les prestaba atención, sino más bien al contrario. Sin embargo, aquella lo estaba. Resultaba doblemente inusual porque una mujer de su profesión debería estar más que acostumbrada a que sus admiradores masculinos acudieran a cortejarla al camerino.

Sin previo aviso, se le ocurrió algo que le disgustó mucho. ¿Habría ido también su primo?

–*Oui*? –le preguntó ella.

–¿Acaso no le ha comunicado el camarero mi invitación? –le preguntó él respondiendo también en francés, un idioma que dominaba junto con el inglés y un par de idiomas más.

–¿Fue usted? –le preguntó ella–. Me temo que no acepto invitaciones para beber con ninguno de los hombres que acuden a este club.

Pronunció las palabras con desprecio. Bastiaan se molestó un poco. No estaba acostumbrado a oír desprecio en las voces de las mujeres con las que hablaba. De hecho, en la de nadie a quien él se dirigiera.

–Gracias, pero no. Y ahora... –dijo ella. Volvió a sonreír y Bastiaan se dio cuenta de que iba a dar por finalizada la conversación– si me perdona, debo cambiarme.

Entonces, se detuvo expectante, evidentemente esperando que él se retirara. Sin embargo, Bastiaan ignoró la indirecta.

–¿Acaso tiene otra invitación para cenar? –le preguntó.

Una sombra se reflejó en los ojos de ella y los hizo cambiar de color. Bastiaan había dado por sentado que eran grises, pero, de repente, adquirieron una tonalidad verdosa.

–No –replicó ella–. Y, si así fuera, *monsieur* –añadió con cierto retintín en la voz–, no creo que fuese asunto suyo –añadió con una tensa sonrisa. La cortesía había desaparecido.

–En ese caso, ¿a qué puede deberse su reticencia a cenar conmigo? –le preguntó Bastiaan. Nunca en toda su vida se había encontrado con una negativa a una invitación suya para cenar.

Ella lo observaba con aquellos ojos que parecían haber recuperado su tono grisáceo. Estaban delineados en negro y tenían los párpados maquillados con un efecto muy dramático. Además, las pestañas habían doblado su longitud por medio de unas postizas y el abundante rímel.

–*Monsieur,* siento mucho informarle que tampoco acepto invitaciones para salir a cenar con los clientes del club –dijo. No habló con desprecio, sino con determinación.

–No estaba pensando en cenar aquí –repuso él–. Preferiría llevarla a Le Tombleur.

Ella abrió los ojos un poco más durante un instante. Le Tombleur era en aquellos momentos el restaurante más de moda de la Costa Azul. Bastiaan estaba seguro de que la oportunidad de cenar en un local tan fabuloso terminaría con las negativas de aquella mujer. También le comunicaría inmediatamente que él era alguien que poseía suficientes medios económicos como para resultarle de interés. Seguramente, no estaba dispuesta a perder el tiempo con alguien que no estuviera al mismo nivel de Philip. Lo que ella no sabía era que la fortuna de Bastiaan era muy superior a la de su primo.

–*Monsieur* –dijo ella–. Como ya le he dicho, debo declinar su muy... generosa invitación.

¿Había sido la imaginación de Bastiaan o ella parecía haber pronunciado la palabra «generosa» con una cierta ironía, que podría indicar que se había formado una opinión sobre él y que no era precisamente la que Bastiaan había querido?

Sintió algo nuevo dentro de él, como una especie de corriente de bajo voltaje. ¿Podría ser que hubiera más en aquella mujer de lo que él había pensado? ¿En aquella mujer que lo miraba a través de unas pestañas absurdamente largas, con una extraña expresión en aquellos ojos cuyo color oscilaba entre el verde y el gris? Aquella tonalidad indefinida lo distraía de un modo que no le gustaba.

–¿Estás lista para marcharte ya?

Una voz diferente había roto el silencio desde la puerta. Se trataba de un hombre más bien joven, vestido con esmoquin. Evidentemente, se había dirigido a Sabine, pero al percatarse de que había alguien más en el camerino, miró con curiosidad a Bastiaan.

Frunció el ceño para decir algo, pero Sabine Sablon se lo impidió.

–El caballero ya se marchaba –anunció.

Su voz era fría, pero Bastiaan tenía demasiada experiencia con las mujeres como para saber que ella no se sentía tan controlada como quería aparentar. Y sabía lo que lo estaba provocando.

La satisfacción se apoderó de él. Aquella seductora y sofisticada *chanteuse,* con su atractivo de vampiresa, su ceñido vestido y su maquillado rostro, podría tratar de parecer más fresca que una lechuga, pero no era así. El brillo de aquellos ojos le había dicho que, por mucho que se estuviera resistiendo a los avances de Bastiaan, tan solo era un fingimiento...

«Puedo conseguirlo. Es vulnerable...».

Aquella era la inigualable verdad que ella, sin darse cuenta, acababa de revelarle.

Cambió de posición y miró al hombre que ocupaba el umbral de la puerta. Un cierto sentimiento de familiaridad se apoderó de él y un instante más tarde supo por qué. Era el acompañante en el escenario de la *chanteuse*.

Durante un breve instante, especuló si la familiaridad que había entre ellos indicaba una relación más íntima, pero no tardó en rechazar aquella idea. Su instinto le decía que el amante que eligiera aquel hombre no sería una mujer. La satisfacción de Bastiaan se incrementó y el enojo que sentía hacia el intruso fue disminuyendo progresivamente. Centró su atención en su presa.

–En ese caso me marcharé, *mademoiselle* –dijo. No se molestó en ocultar la ironía de su voz ni su diversión ante la situación. Quería que pareciera que el rechazo al que ella le había sometido no significaba nada para él, tan solo una estratagema femenina que él había conseguido descifrar y que, tan solo por el momento, había decidido pasar por alto. Inclinó ligeramente la cabeza con una sonrisa en los labios–. *A bientôt.*

Entonces, sin prestar atención alguna al hombre que ocupaba la puerta y que tuvo que hacerse a un lado para dejarle pasar, se marchó. Mientras se alejaba, oyó que la *chanteuse* exclamaba:

–¡Menos mal que me has rescatado!

Bastiaan escuchó el alivio en su voz, lo que provocó que su satisfacción se incrementara aún más. Había escuchado un ligero temblor en ella, ligero pero audible al fin y al cabo. Eso le alegró.

«Se muestra vulnerable hacia mí».

Salió por la puerta trasera del club y se dirigió a su

coche. Entró en él y arrancó el motor. Su profundo rugido se hizo eco en el murmullo silencioso que le llenaba la cabeza.

«¡Menos mal que me has rescatado!». Aquellas habían sido las palabras exactas de la arpía que estaba tratando de robarle el dinero a su primo.

Apretó los labios y endureció la mirada mientras se incorporaba al tráfico para regresar a Mónaco, donde se iba a quedar aquella noche pernoctando en el dúplex que poseía allí.

En eso aquella mujer se había equivocado. Completamente.

«Nadie te rescatará de mí».

De eso estaba totalmente seguro. Con ese pensamiento, siguió conduciendo.

–Dame dos minutos y estaré lista para marcharme –dijo Sarah.

Trató de recuperar la compostura, pero se sentía como si acabara de liberarse de una cárcel de los sentidos que le hubiera cortado completamente la respiración. No sabía cómo había logrado mantener la tranquilidad, pero había estado del todo segura que hacerlo era absolutamente esencial.

¿Qué era lo que le había ocurrido, así, sin previo aviso?

Aquel era el hombre que la había estado observando tan atentamente durante su último número. Ella lo había sentido desde el otro lado de la sala y cuando entró en el camerino había sido como...

«No se ha parecido a nada que haya sentido nunca, a nada que haya conocido...».

Nunca antes había producido un hombre un impacto tan primitivo, tan físico en ella. Su altura, irguiéndose por encima de ella en el pequeño camerino, había dominado el encuentro. Sus anchos hombros, ceñidos por un elegante esmoquin, eran intimidantes. Había experimentado una sensación de poder que no se derivaba tan solo de la corpulencia física que él poseía, sino de un aura que le comunicaba claramente que aquel hombre estaba acostumbrado a salirse con la suya, en especial con las mujeres.

No había sido solo la impresión de que era un hombre rico que podría comprar todos los favores femeninos que deseara. El hecho de que mencionara Le Tombleur había sido una clara demostración de ello, de algo que iba mucho más allá...

Sarah tragó saliva. Comprendió que aquel hombre no necesitaba dinero para impresionar a las mujeres. No. Lo único que le hacía falta eran los penetrantes ojos oscuros, enmarcados por oscuras cejas; también la afilada nariz y la sensual curva de los labios, acompañada de la dura línea de la barbilla.

Era un hombre que sabía muy bien que su atractivo era muy poderoso para las mujeres, que sabía perfectamente que las féminas respondían inmediatamente ante él.

Sintió que el vello se le ponía de punta.

¿Por qué había ejercido aquel efecto en ella? ¿Qué había tenido de especial aquella combinación de físico, apostura y magnetismo personal para que ella reaccionara de aquella manera? Había visto hombres mucho más guapos, pero ninguno le había afectado tanto como aquel...

Volvió a sacudir la cabeza y trató de borrarse la imagen del pensamiento. Por suerte, fuera quien fuera, se había marchado.

Mientras se quitaba las pestañas postizas y el pesado maquillaje para volver a convertirse en Sarah, trató de apartarlo de sus pensamientos sin éxito. «Olvídate de él. En realidad, quería invitar a Sabine Sablon, no a Sarah Fareham».

Sabía que era la verdad. Sabine era la clase de mujer que interesaría a un hombre como él: sofisticada, seductora, una mujer de mundo... Una *femme fatale.* Ella no era Sabine. En aquellos momentos, tenía un objetivo en la vida. Solo uno. Y no se trataba de un hombre con ojos tan oscuros como la noche y un físico arrollador que la dejaba completamente sin aliento.

Se dirigió al lugar en el que Max la estaba esperando para llevarla de vuelta a la pensión, que estaba a poca distancia de allí, en la pequeña localidad costera de Pierre-les-Pins, antes de seguir al apartamento que compartía con Anton, el compositor de la ópera.

Cuando se pusieron en camino, él comenzó a hablar sin preámbulo alguno.

–He estado pensando que en tu primer dueto con Alain... –dijo él.

Max empezó a hablar sin parar. Le dio instrucciones sobre algunas tecnicidades vocales que resultaban algo problemáticas y de las que él quería ocuparse en el ensayo del día siguiente. Sarah se alegró de que así fuera, porque la ayudaba a distanciarse mentalmente del turbador encuentro que había tenido en el camerino con aquel hombre tan devastador y peligroso.

¿Peligroso? Aquella palabra le hizo eco en el pensamiento. ¿De verdad había sido peligroso?

Sacudió la cabeza. Su comportamiento era absurdo. ¿Cómo podía resultarle peligroso un perfecto desconocido? Imposible. Era absurdo pensarlo...

Capítulo 3

BASTIAAN! ¡Fantástico! ¡No tenía ni idea de que estuvieras aquí en Francia! –exclamó Philip con voz cálida y entusiasta al responder el móvil.

–En Mónaco, para ser preciso –respondió Bastiaan mientras paseaba con el teléfono hacia el enorme ventanal de su apartamento de Montecarlo, que le proporcionaba una vista panorámica del puerto y de los lujosos yates que relucían bajo el sol de la mañana.

–Pero vas a venir a la casa, ¿verdad? –le preguntó su primo esperanzado.

–¿Acaso buscas entretenimiento a tus trabajos? –le preguntó Bastiaan deliberadamente, sabiendo que el muchacho ya tenía distracción, una distracción muy peligrosa.

De igual forma que le ocurría desde que se marchó del club la noche anterior, la seductora imagen de Sabine Sablon se apoderó de él. En realidad, era suficiente para distraer a cualquier hombre. Incluso al propio Bastiaan...

–Bien –prosiguió Bastiaan–. Si quieres puedo estar contigo en menos de una hora.

Philip no replicó inmediatamente.

–¿Podría ser un poco más tarde? –repuso por fin.

–¿Acaso es que tienes mucho que estudiar? –le preguntó Bastiaan.

–Bueno, no precisamente. Es decir, sí que tengo

mucho que estudiar. Sin embargo, lo que ocurre es que estoy algo liado hasta la hora de almorzar...

Bastiaan comprendió que su primo le estaba ocultando algo.

–No hay problema –dijo–. Nos vemos a la hora del almuerzo entonces. ¿Te parece bien sobre la una? ¿Quieres que avise a Paulette para que cuente conmigo o se lo dices tú?

–¿Te importaría decírselo tú?

De aquella respuesta, Bastiaan sacó sus propias conclusiones. Philip no estaba en la casa en aquellos momentos.

–De acuerdo –respondió. Consiguió que no se le notara la intranquilidad que sentía en la voz, aunque distaba mucho de sentirse relajado.

Si Philip no estaba en la casa estudiando, ¿dónde estaba? ¿Estaría con ella?

Sintió que se le ponía de punta el vello. ¿Por eso había rechazado ella también la cena a la que él la invitó en Le Tombleur la noche anterior? ¿Porque había quedado con su primo? ¿Habría pasado Philip la noche con ella?

–¡Genial! –exclamó Philip–. Hasta luego, Bast... Tengo que dejarte.

Philip cortó la comunicación. Bastiaan volvió a meterse el teléfono en el bolsillo muy lentamente y se apartó de la ventana. Aquel apartamento había sido una excelente inversión. Sin embargo, Montecarlo no era su lugar favorito. Prefería su villa de Cap Pierre, el lugar en el que Philip se alojaba. O, mejor aún, su propia isla privada frente a la costa occidental de Grecia. Allí era donde verdaderamente quería estar. Algún día, se llevaría allí a la mujer que sería su esposa, la mujer con la que pasaría el resto de su vida.

No sabía quién sería aquella mujer. De una cosa estaba seguro: cuando la conociera, sabría que era la elegida. De eso no habría duda.

Mientras esperaba a que llegara ese momento, seguiría con su vida. Se sentó frente a su ordenador portátil para trabajar un rato antes de ir a reunirse con Philip... y descubrir hasta dónde llegaban los sentimientos de su primo...

–Me vendría muy bien un café.

Max la había dejado tranquila por el momento para centrarse en el coro, por lo que Sarah se sentó a una de las mesas que había más cerca del escenario. Allí la esperaba Philip.

Se había hecho habitual en los ensayos y Sarah no había tenido corazón para tratar de quitarle la idea. Philip Markiotis era un chico muy simpático y, por alguna razón, sentía un profundo apego por la pequeña compañía de ópera.

Sarah no podía evitar pensar que él sentía algo por ella, algo que se le reflejaba en el brillo de los ojos cada vez que se cruzaba con ella. Era tan solo un poco mayor que los propios alumnos de último curso de Sarah y la admiración que sentía hacia ella debía quedar precisamente en eso, en admiración.

Sin saber por qué, pensó en una imagen completamente diferente. El hombre que entró en su camerino invadió su espacio y la miró, sin ardor juvenil en los ojos, pero con algo mucho más poderoso y primitivo. Aquellos ojos oscuros, de largas pestañas, la miraron de una manera muy penetrante, como si Sarah estuviera bajo un potente foco. Sintió que le recorría el cuerpo un estremecimiento, como si aún no hubiera podido escapar de aquella poderosa mirada. No quería...

Apartó rápidamente el pensamiento.

«No quiero pensar en ello. No quiero pensar en él. Me pidió una cita, yo le dije que no... ya está. Se ha terminado».

Se recordó que ni siquiera había sido a ella a la que aquel desconocido había pedido una cita. El hombre la había tomado por Sabine, la seductora, sofisticada y sensual Sabine. Habría sido una estúpida de no saber cómo un hombre así habría querido que terminara la velada. Lo había visto en su mirada, en sus ojos, en el modo en el que la miraba. El mensaje era inequívoco y descarado.

«¿Habría querido yo que terminara así? Si yo fuera Sabine...».

Sarah se negó a responder. Ella no era Sabine, era Sarah Fareham. Fuera cual fuera el impacto que aquel hombre había supuesto para ella, no tenía tiempo de pensarlo. Solo faltaban unas semanas para la representación más importante de su vida y toda su energía, todo su interés y su fuerza tenían que centrarse en ello. No importaba nada más. Nada.

–Hola –dijo ella tratando de poner voz alegre mientras aceptaba el café que Philip le había servido–. Eres nuestro único espectador, Philip. ¿Cómo te parece que va?

El rostro del joven se iluminó.

–¡Has estado maravillosa! –exclamó mirándola con adoración. Entonces, frunció el ceño–. Max te trata muy mal, criticándote del modo en el que lo hace todo el rato.

–Bueno, Philip. Es su trabajo. Y no es solo a mí. Tiene que asegurarse de que todo sale bien y sacar adelante el proyecto. Él escucha todas las voces, mientras que cada uno de nosotros se centra solo en la suya.

–Pero la tuya es maravillosa... –dijo Philip, como si eso terminara con la discusión.

Sarah soltó una carcajada en vez de responder. Se tomó su café y a continuación un gran vaso de agua para refrescarse las cuerdas vocales.

La compañía de Philip la ayudó a disipar parte de la inevitable tensión que se acumulaba por la intensidad de los ensayos. A pesar de que debía asegurarse de no fomentar la atracción que Philip sentía por ella, sentarse con el joven resultaba muy agradable.

Tenía un carácter amable y alegre, que se acompañaba de un gran entusiasmo por lo que, para él, era la novedad de una empresa artística y bohemia. Por eso, no era de extrañar que Sarah y los demás miembros de la compañía le tuvieran mucha estima. Lo que más le extrañaba a Sarah era que Max no se hubiera opuesto a su presencia. La explicación que él le había dado no le había gustado en absoluto.

–*Cherie*, todo el que se aloje en la villa familiar en el Cap está forrado. Ese muchacho tal vez no vaya despilfarrando dinero, pero, créeme, he comprobado el nombre y es muy rico. Cultiva su amistad, *cherie.* Nos vendría muy bien contar con un rico mecenas.

La respuesta de Sarah no se había hecho esperar.

–¡Ni siquiera pienses en pedirle dinero, Max! –le había advertido.

Para ella estaba completamente fuera de lugar aprovecharse de la atracción adolescente de su joven admirador, por mucho dinero que su familia pudiera tener. De hecho, se pensó si debía advertir a Philip sobre las intenciones de Max de pedirle ayuda económica para la compañía, pero decidió no hacerlo. Conociendo a Philip, probablemente solo conseguiría animarlo.

De repente, Philip miró el reloj y puso un gesto de contrariedad.

–¿Tienes que regresar a tus estudios? –le preguntó ella.

–No. Es mi primo. El dueño de la villa del Cap. Ha

venido a la Riviera y hemos quedado en la casa para almorzar.

–¿Para comprobar que no estés organizando fiestas salvajes? –bromeó ella–. ¿O acaso para celebrar una?

Philip sacudió la cabeza.

–Bastiaan es demasiado viejo para esa clase de cosas. Ya ha cumplido los treinta –dijo con ingenuidad–. Se pasa la mayor parte del tiempo trabajando. Ah, y luchando contra las hordas de mujeres que lo persiguen incansablemente.

Sarah pensó que, si el primo de Bastiaan provenía del mismo entorno familiar de Philip, la cosa no era de extrañar. A los hombres ricos y guapos jamás les faltaba la atención femenina.

Sin que pudiera evitarlo, volvió a recordar lo ocurrido en su camerino la noche anterior y se le oscurecieron los ojos.

«Ese hombre no necesitaba dinero para ejercer el impacto que tuvo sobre mí. Lo único que tenía que hacer era permanecer allí, mirándome...».

Entonces, la voz imperiosa de Max la rescató de sus turbadores pensamientos.

–¡Sarah!

–Vuelvo a la faena –dijo ella–. Y tú que te diviertas mucho con tu primo, Philip –añadió con una sonrisa.

Se despidió del joven con un ligero movimiento de mano antes de regresar al escenario. Al cabo de unos minutos, estaba completamente centrada en su trabajo. El resto del mundo había desaparecido de su pensamiento.

–Entonces –dijo Bastiaan tratando de controlar sus sentimientos para que no se le reflejaran en la voz–, quieres empezar a sacar dinero de tu fondo de inversión. ¿Es eso?

Los dos estaban sentados en el porche que había en el exterior del comedor de la casa. Habían almorzado allí y, en aquellos momentos, Bastiaan se estaba tomando un café, reclinado con aspecto relajado sobre su butaca.

Parecía estar relajado. Sin embargo, en realidad estaba en estado de máxima alerta. Su joven primo acababa de sacar el tema de la cercanía de su cumpleaños y le había preguntado a Bastiaan si iba a empezar a relajar el férreo control que ejercía sobre él. Las alarmas habían empezado a sonar.

–No va a ser un problema, ¿verdad? –le preguntó Philip.

–Depende. ¿En qué quieres gastar el dinero?

Philip apartó la vista y miró hacia la piscina. Comenzó a juguetear con la cucharilla del café y luego volvió a mirar a Bastiaan.

–¿Acaso tiene tanta importancia saber para qué quiero el dinero? Es decir, es mi dinero...

–Sí –admitió Bastiaan–, pero, hasta tu cumpleaños, yo... yo te lo guardo.

Philip frunció el ceño.

–¿Me lo guardas o me lo controlas?

El joven tenía una tensión en la voz que era nueva para Bastiaan. Casi un desafío. El nivel de alerta de su cuerpo subió un grado más.

–Podría ser la misma cosa –dijo antes de tomar un sorbo del café solo–. Un idiota y su dinero...

Philip se sonrojó de ira.

–¡Yo no soy ningún idiota!

–No. No lo eres. Sin embargo, te podrían dejar como tal.

Miró fijamente a su primo. La imagen de la *chanteuse* ocupó de nuevo su pensamiento. Aquel vestido ceñido, delineándole el cuerpo como si fuera una segunda piel, su voz profunda y sugerente... tan seductora...

Apartó la imagen de su pensamiento con más esfuerzo del que le habría gustado. Volvió a centrarse en Philip.

–Por eso, recuerda que cuando cumplas veintiún años te vas a convertir en un hombre muy, pero que muy popular entre cierta clase de mujeres.

Vio que Philip tragaba saliva.

–Eso ya lo sé...

No pronunció aquellas palabras en tono desafiante, algo de lo que Bastiaan se alegró.

–Te aseguro que no seré un completo idiota, Bast... y te estoy agradecido por tu advertencia... Sé que estás pendiente de mí porque... bueno, por...

–Porque es lo que tu padre habría esperado y lo que desea tu madre –apostilló Bastiaan–. Ella se preocupa mucho por ti. Tú eres su único hijo.

Philip sonrió con tristeza.

–Sí, lo sé, pero, Bast, por favor... tranquilízala y dile que no hace falta que se preocupe tanto.

–Lo haré si puedo –replicó Bastiaan. Entonces, decidió que había llegado el momento de cambiar de tema–. Bueno, ¿adónde quieres ir a cenar esta noche?

–Lo siento, Bast... Esta noche no puedo.

–¿Tienes una cita con una mujer guapa? –preguntó en tono casual Bastiaan.

Philip se sonrojó.

–Más o menos...

–¿Más o menos guapa? ¿O más o menos cita? –quiso saber Bastiaan en tono de broma. Sin embargo, la situación no le parecía en absoluto divertida. La noche anterior se había preguntado antes de ir al club si vería allí a Philip. Al no encontrarlo allí, había sentido un profundo alivio. Tal vez la situación no era tan mala como se había temido. Sin embargo, al escuchar las últimas palabras de Philip...

–Más o menos una cita –confesó Philip.

Bastiaan decidió andarse con cuidado. Tendría que ir con pies de plomo para que Philip no se diera cuenta de lo que ocurría y se cerrara en banda a él.

De repente, Philip volvió a tomar la palabra. Parecía muy entusiasmado.

–Bast, ¿podría...? ¿Podrías...? Es que hay alguien a quien me gustaría que conocieras.

–¿A la guapa?

Philip se sonrojó de nuevo.

–¿Lo harías por mí?

–Por supuesto –replicó Bastiaan.

No quería poner obstáculos. Philip, sin darse cuenta, se estaba colocando él solo en sus manos. Ver a Philip con la mujer de la que estaba enamorado le daría una indicación muy exacta de hasta dónde estaba metido su primo en las arenas movedizas que aquella mujer representaba para él.

–¡Genial!

Philip sonrió. La felicidad y el alivio que mostró Philip indicó a Bastiaan que su impresionable y vulnerable primo estaba ya muy metido...

Capítulo 4

MÁS allá del foco que la iluminaba, Sarah podía ver a Philip. El joven estaba sentado a la mesa más cercana al escenario mirándola con adoración mientras ella entonaba su poco inspirado popurrí. Cuando terminó su actuación, Sarah descendió con cuidado hacia el lugar que ocupaban las mesas para sentarse en la silla que Philip le sujetaba galantemente.

Ella sonrió.

–Pensaba que esta noche habrías salido con tu primo para pintar de rojo la Costa Azul –bromeó.

–No –contestó Philip–, pero hablando de mi primo... Sarah, espero que no te importe –añadió mientras se inclinaba hacia ella para susurrarle al oído–. Le he pedido que venga a conocerte. No te importa, ¿verdad?

A Sarah se le cayó el alma a los pies. No quería quitarle la ilusión y, además, cuantas menos personas supieran que actuaba allí por las noches interpretando a Sabine, mejor. A menos, por supuesto, que no la conocieran previamente como Sarah, la cantante de ópera.

Philip era un buen chico, un simple estudiante, pero su primo, según tenía entendido Sarah, se movía en la élite, en los círculos de los más poderosos. Podría estar relacionado con muchas personas de influencia en toda clase de ámbitos, en los que podría estar incluida la ópera. No se podía permitir poner en riesgo la incipiente reputación que el festival podría reportarle, sobre todo porque el futuro dependía de ello.

Pensó con rapidez.

–Mira, Philip. Sé que esto que te voy a pedir podría confundirte un poco, pero ¿podríamos decir que soy tan solo Sabine y no mencionar nada de que canto ópera? Si no lo hacemos así, las cosas podrían ponerse... complicadas.

Philip la miró desconcertado.

–¿Es eso de verdad lo que quieres que haga? –protestó–. Me encantaría que Bastiaan supiera lo maravilloso que es el talento que tienes –añadió con admiración y ardiente devoción en los ojos.

Sarah se rio con nerviosismo.

–Philip, es muy amable por tu parte, pero...

No pudo seguir hablando. De repente, la mirada de Philip había pasado a enfocarse a espaldas de Sarah, más allá de ella.

–Ahí está –anunció–. Ya viene...

Sarah giró la cabeza ligeramente y se quedó helada. La alta figura que se dirigía hacia ellos le resultaba muy familiar. Él llegó a la mesa antes de que tuviera tiempo de reaccionar o prepararse mentalmente.

Philip se puso de pie.

–¡Bast! ¡Has venido! ¡Genial! –exclamó Philip alegremente, ciñéndose al francés que hablaba con Sarah. Dio un fuerte abrazo a su primo y le habló en griego–. Has llegado en el momento justo.

–¿Sí? –respondió Bastiaan. Su voz era neutral, pero estaba mirando a la mujer que se hallaba sentada a la mesa de su primo. Los pensamientos se le arremolinaron en la cabeza, tratando de buscar protagonismo. El que lo logró, fue precisamente el que Bastiaan menos deseaba.

Una innegable e insistente respuesta masculina a la imagen que tenía ante sus ojos. Las veinticuatro horas que habían pasado desde que fue a verla al camerino no habían servido para suavizar el impacto que ella había ejercido sobre él. El mismo cabello, rubio y sedoso. Los profundos ojos. La sugerente boca. Otro vestido, pero que se le ceñía de igual modo a los hombros y a los senos, moldeando estos últimos con deliciosa perfección.

Sintió que el cuerpo le rugía de primitiva y masculina satisfacción. No tardó en aplastarla. Allí estaba, la seductora *chanteuse*, intimando con Philip mientras él la miraba con los ojos llenos de adoración, como si fuera un cachorrillo.

–Bastiaan, quiero presentarte a alguien muy especial –decía Philip. Se había sonrojado ligeramente y alternaba la mirada entre Sarah y su primo–. Esta... esta es Sabine –añadió después de dudarlo un instante–. Sabine, este es mi primo, Bastiaan Karavalas.

Sarah entrecerró un instante los ojos y se encontró mirando de soslayo al corpulento hombre de ojos oscuros que acababa de sentarse a su lado, dominando el espacio. Dominando sus sentidos. Igual que había hecho la noche anterior, cuando apareció en el camerino.

Sin embargo, aquello no era lo único que le preocupaba, sino el modo en el que, de repente, parecía ser la única persona de todo el universo. Se sentía obligada a mirarlo, sin poder apartar los ojos de él, como si fuera un imán que la atraía irremediablemente. Sarah no podía retirar la mirada. Lo observaba y lo sentía de un modo tan poderoso como la primera vez. El potente impacto, la sensación de poder y atracción eran tan fuertes que no podía explicarlo. Ni tampoco quería hacerlo.

«Dilo. Di que lo conoces, que ya ha ido a buscarte...».

Sin embargo, no pudo hacer otra cosa que permanecer allí sentada para tratar de conjurar alguna explicación que le permitiera comprender por qué no podía abrir la boca.

De repente, una pregunta le asaltó el pensamiento. «¿Qué es lo que está ocurriendo aquí?».

Estaba segura de que había algo. Un hombre al que no había visto nunca en toda su vida había aparecido en el club, había dado dinero al camarero para que la invitara a su mesa y luego se había tomado la molestia de presentarse en el camerino para invitarla a salir personalmente. Después, cuando reapareció de nuevo, resultó ser el primo de Philip, que había llegado inesperadamente a Francia.

Desgraciadamente, no tenía tiempo de pensar. No había tiempo para nada más que comprender que tenía que enfrentarse a la situación sin preocuparse de obtener unas respuestas que ya podría conseguir más tarde.

–*Mademoiselle...*

La profunda voz era tan misteriosa como la recordaba. Tenía un marcado acento griego, similar al de Philip. Sin embargo, aquel era el único parecido. La voz de Philip era ligera, joven, expresiva. La de su primo, con una sola palabra, le había transmitido a Sarah mucho más.

Sintió un estremecimiento por la espalda. Un estremecimiento que no debería estar experimentando. ¿Acaso estaba desafiándola a que reconociera que ya se conocían?

–*Monsieur...* –dijo ella con voz fría y tranquila. Completamente neutra.

Al ver que había llegado una persona más, el camarero se acercó. Mientras Bastiaan Karavalas pedía una copa, un Martini seco, Sarah aprovechó aquel precioso tiempo para tratar de recuperar la compostura.

Lo necesitaba desesperadamente. Fuera lo que fuera a lo que estaba jugando Bastiaan Karavalas, solo su presencia física dominaba los sentidos de Sarah con un impacto idéntico al que había sufrido la noche anterior en su camerino. Con solo mirarlo, se le aceleraban los latidos del corazón. ¿Qué había en él de especial? Su presencia, el poder de crear una misteriosa y magnética atracción. Ojos velados, boca sensual...

Nunca antes había sido tan consciente de la presencia de un hombre. Nunca antes había reaccionado su cuerpo de aquella manera.

–¿Y para usted, *mademoiselle?* –le preguntó la profunda voz. Evidentemente, se refería a qué quería tomar.

Ella negó con la cabeza.

–Gracias, pero nada. No tomo más que agua entre las actuaciones.

Bastiaan hizo que se marchara el camarero con un gesto de la mano.

–¿Actuaciones? –le preguntó a Sarah.

Los pensamientos de Bastiaan no dejaban de darle vueltas en la cabeza. Había querido comprobar si ella revelaba el encuentro de la noche anterior y, en aquellos momentos, estaba tratando de valorar por qué no lo había hecho. Sabía que estaba considerando muchas cosas sobre ella, principalmente el impacto físico al que ella le sometía. No obstante, aquello era lo menos relevante de la situación.

«¿Estás seguro?».

Aquel pensamiento surgió antes de que pudiera evitarlo.

–Sa... Sabine es cantante –decía Philip mientras miraba con admiración a la *chanteuse* que lo tenía entre sus garras.

–¿De verdad? –repuso Bastiaan. Se reclinó sobre su butaca para poder contemplar mejor el ceñido vestido y el pesado maquillaje.

Había llegado el momento de utilizar el francés para su beneficio y hacer que la irónica inflexión de la voz la incomodara, como si dudara de la veracidad de lo que había dicho su primo.

–De verdad, *monsieur* –repitió Sarah. No le había

pasado desapercibida la ironía del comentario, que respondió con un cierto tono de indiferencia.

–¿Y qué es lo que... canta? –le preguntó él levantando una ceja.

–*Chansons d'amour* –murmuró Sarah–. ¿Qué si no? –añadió con una sonrisa algo burlona.

–Te has perdido el primer número de Sabine –le dijo Philip a Bastiaan–. Pero podrás ver el segundo –añadió con entusiasmo.

–No me lo perdería por nada del mundo –dijo Bastiaan secamente sin dejar de mirar a la *chanteuse*.

Le pareció que, de repente, debajo del pesado maquillaje, ella se sonrojaba ligeramente. ¿Lo habría interpretado como sarcasmo? Si había sido así, ella le pagó con la misma moneda.

–Es demasiado amable, *monsieur*.

Bastiaan se percató de cómo aquellos ojos adquirían momentáneamente una tonalidad verdosa. Una pequeña descarga de electricidad sexual se apoderó de él. Le encantaba ver cómo aquellos ojos se teñían de verde.

«Si la besara, volvería a pasar...».

–La voz de Sa... Sabine es maravillosa.

Philip lo sacó de sus pensamientos. De manera ausente, Bastiaan se preguntó por qué su primo se atascaba tanto al pronunciar el nombre de la cantante.

–Incluso cuando solo canta *chan*...

La voz de Sarah interrumpió el comentario de Philip.

–Y bien, *monsieur* Karavalas, ¿ha venido usted a visitar a Philip? Según creo, la casa en la que se aloja es suya, ¿no?

No podía importarle menos a Sarah qué era lo que él estaba haciendo allí ni si tenía una casa en Cap Pierre o en otra parte del mundo. Solo había realizado aquel comentario para impedir que Philip dijera algo que ella sabía se moría por decir a pesar de que ella le hubiera suplicado...

«Incluso cuando solo canta *chansons* en un tugurio como este».

Sarah no quería que él mencionara nada sobre lo que ella cantaba realmente ni que, en realidad, no era Sabine.

La urgencia se apoderó de ella. De repente, ya no tuvo nada que ver con el hecho de que no deseara que Bastiaan Karavalas supiera que era en realidad Sarah Fareham y que estaba haciéndose pasar por Sabine Sablon. No. La razón era muy diferente. Mucho más crucial.

«Como Sarah, no me puedo enfrentar a él. Tengo que ser Sabine. Sabine puede con un hombre como él. Es la clase de mujer sofisticada y mundana que puede plantarle cara a un hombre así».

La voz de Philip fue un alivio para ella.

–Deberías pasar más tiempo en la villa, Bast. Es un lugar precioso. Paulette me ha dicho que casi nunca vas.

–Bueno –dijo Bastiaan girando la cabeza para hablar con su primo–, tal vez debería dejar Mónaco y venirme contigo. Para llevarte por el buen camino.

Sonrió a Philip. En aquel momento, aquella sonrisa trazó unas líneas en su rostro y cambió su expresión de tal manera que Sarah vio, de repente, un hombre muy diferente. Ella sintió que algo cambiaba en su interior, que se desataba como si se hubiera aflojado un nudo dentro de ella...

«Si me sonriera a mí de ese modo, me convertiría en masilla entre sus manos».

Decidió que era mejor no pensar así. Bastiaan Karavalas ya la estaba afectando mucho más de lo aconsejable.

–¿Para hacerme realizar mis trabajos sin levantar cabeza? ¿Es a eso a lo que te refieres, Bastiaan? –le preguntó Philip con cara compungida.

–Para eso has venido aquí –le recordó Bastiaan–. Y para escapar, por supuesto.

Volvió a mirar a Sarah. La calidez que ella había visto cuando sonrió a su primo había desaparecido. Se vio reemplazada por algo nuevo, algo que le hizo entornar los ojos para poder pensar mejor en lo que realmente era.

–Le ofrecí mi casa a Philip como refugio –le informó él a Sarah–. Lo estaba acosando una dama particularmente insistente. Esa mujer se convirtió en una verdadera molestia, ¿verdad, Philip?

Él asintió.

–Efectivamente, Elena Constantis era una pesada. Tenía un montón de hombres revoloteando a su alrededor, pero quería añadirme a mí a su estúpida colección. Es tan inmadura... –añadió con aire de superioridad.

Sarah sonrió ligeramente y le pareció ver una sonrisa muy similar en los labios de Bastiaan Karavalas. Sintió que estaban a punto de intercambiar miradas, como dos personas mucho más maduras que el dulce e inocente Philip...

Entonces, cambió de intención al notar que Philip la estaba mirando a ella.

–No podía ser más diferente de ti –le dijo. La calidez de su voz podría haber encendido un fuego.

Sarah volvió a entrecerrar los ojos. Bastiaan la miró y ella lo sintió. La mirada parecía arderle en la piel. Era consciente también de lo que aquel comentario casual debía de haberle hecho pensar.

«Es imposible que crea que no me he dado cuenta de que Philip está enamorado de mí», pensó.

Philip volvió a tomar la palabra.

–Sabine, ¿quieres bailar conmigo? ¡Por favor, dime que sí!

La indecisión se adueñó de ella. Jamás había bailado

con Philip ni había hecho nada para animarlo, pero, en aquellos momentos, la ayudaría a escapar de la abrumadora presencia de Bastiaan Karavalas.

–Si quieres –dijo. Se levantó y dejó que Philip la acompañara alegremente a la pista de baile.

Por suerte, la música no era ni muy rápida ni muy lenta. Sin embargo, dado que la mayoría de las parejas comenzaron a bailar al estilo de los bailes de salón, a Sarah no le quedó más remedio que permitir que Philip la tomara entre sus brazos. Él no parecía muy versado en un estilo de baile tan formal, pero hizo lo que pudo.

–¡Parece que tengo dos pies izquierdos! –exclamó muy apenado.

–Lo estás haciendo muy bien –lo animó ella, pero asegurándose al mismo tiempo de que mantenía las distancias.

La pieza de baile pareció tardar una eternidad en terminar.

–Muy bien –dijo Sarah.

–La próxima vez no seré tan torpe –le prometió Philip.

Sarah retiró la mano del hombro de Philip para indicarle que él también debía soltarla. Philip lo hizo, pero de muy mala gana. Desgraciadamente, la atracción que Philip sentía hacia ella no era su principal pensamiento en aquellos momentos.

Sarah estaba a punto de murmurar algo sobre su próxima actuación para lograr excusarse cuando una profunda voz resonó muy cerca de ella.

–*Mademoiselle* Sabine, confío en que me corresponda a mí también.

Sarah se giró y vio que Bastiaan Karavalas estaba muy cerca de ellos. La música comenzó de nuevo a sonar, en aquella ocasión mucho más lentamente.

Él no le dio oportunidad de rechazarle. Bastiaan indicó a su primo que los dejara a solas con un movimiento de cabeza y luego, antes de que ella pudiera negarse de algún modo, tomó la mano de Sarah para tirar de ella hacia su cuerpo. Le colocó la enorme y fuerte mano sobre la cintura, por lo que a ella no le quedó más remedio que colocarle la suya ligeramente sobre el hombro. Entonces, él comenzó a moverse muy lentamente, apretándole el muslo descaradamente contra el de ella para obligarla a moverse.

Sarah trató de mantener la compostura a pesar de que el corazón le latía con fuerza en el pecho. Tenía el cuerpo tan rígido como una tabla y los músculos trataban de mantener e incluso incrementar la distancia que había entre sus cuerpos. La respuesta de él fue apretarle un poco más la cintura para asegurarse de que ella no se escapara.

Y le sonrió con un gesto de absoluta posesión.

Sarah sintió que la sangre le recorría más rápidamente las venas, caldeándole el cuerpo mientras se movía contra el de él.

–Y bien, *mademoiselle,* ¿de qué hablamos?

Sarah decidió que debía seguir aferrándose a la personalidad de Sabine. Ella podría soportarlo y salir airosa de aquella situación. Debía mantener la compostura. ¿Qué sería lo que Sabine diría o haría en un momento así?

–La elección es suya, *monsieur* –respondió tratando de mantener un tono de voz indiferente.

De hecho, consiguió incluso mirarlo del modo en que Sabine sin duda lo haría. La ridícula longitud de las pestañas postizas que llevaba puestas la ayudó, porque le facilitaba mirarlo con una expresión velada. Eso le socorría a la hora de protegerse del impacto que aquellos ojos oscuros estaban produciendo en ella.

De repente, él habló y la transportó bruscamente a la realidad.

–¿Por qué no ha mencionado que ya nos conocíamos?

–¿Y por qué no lo ha hecho usted? –replicó ella utilizando el tono de voz insolente que seguramente Sabine habría usado.

–Usted debe saber por qué... –dijo él.

En sus profundos ojos oscuros se dibujó un mensaje tan claro como el día y tan antiguo como los tiempos.

Sarah sintió que se le entrecortaba la respiración y que se le aceleraba el pulso. De repente, la mundana y descarada Sabine pareció estar muy lejos de allí.

–¿Por qué se negó a venir a cenar conmigo? –insistió él desafiante. Aquella actitud la tomó por sorpresa.

–Era usted un perfecto desconocido –respondió ella. Era la única explicación relevante.

–Bueno, ahora ya no lo soy.

«No cuando te tengo entre mis brazos, sosteniendo tu suave cuerpo cubierto de raso, sintiendo la calidez de tu tacto contra el mío y el roce de los muslos mientras nos movemos juntos al ritmo de la música».

Bastiaan experimentó que una oleada de calor le recorría las venas. Le decía lo susceptible que era a lo que ella poseía. El poder para hacer que él la deseara...

Los sentidos los estaban dominando. Aquella mujer llevaba un perfume muy persistente. No resultaba agobiante, tal y como se habría imaginado antes, sino ligeramente floral. El cabello, ondulado sobre el hombro, no se sostenía con la ayuda de la laca. Era fino y sedoso hasta tal punto que Bastiaan ansiaba sentirlo entre los dedos. Quería beber de la delicada belleza de aquel rostro y volver a ver el brillo de las esmeraldas en los ojos.

Un repentino impulso se apoderó de él. Deseó poder retirar todo el maquillaje de aquel rostro para poder ver la verdadera belleza que ocultaba.

–¿Por qué te pones tanto maquillaje? –le preguntó antes de que pudiera contenerse.

Ella pareció quedarse, momentáneamente, sin palabras.

–Es para el escenario –respondió por fin. Parecía que le costaba creer que él lo hubiera preguntado.

–No te sienta bien –afirmó él frunciendo el ceño.

No se podía creer que siguiera realizando aquella clase de preguntas. ¿Por qué tenía que decirle aquellas cosas a aquella mujer?

«Porque es la verdad. Enmascara su auténtica belleza, su verdadero ser, detrás de tales excesos».

La expresión del rostro de ella cambió.

–No está diseñado para sentar bien, sino tan solo para soportar las potentes luces del escenario. No creerá que llevo estas arañas en los ojos por otro motivo, ¿verdad?

–Me alegro.

Al responder, se dio cuenta de que se estaba desviando de su objetivo. ¿Qué demonios estaba haciendo, hablando del maquillaje? Y mucho menos con lo de expresar aprobación o alivio. Solo era maquillaje. Trató de recuperar la línea de preguntas que debería estar realizándole. Por eso estaba bailando con ella, para poder continuar evaluándola. Ese había sido el motivo de que fuera a Francia. Saber quién era y liberar a su primo de las garras de aquella mujer.

«Liberarla de Philip...».

El pensamiento surgió. Inadmisible e inevitable a la vez. Lo borró de inmediato. No se trataba de liberarla a ella de su primo. Solo le preocupaba Philip. Nada más. No debía olvidarlo.

Lo que sí tenía que olvidar era el modo en el que el cuerpo de aquella mujer se movía junto al suyo al ritmo seductor de la música, juntándolos cada vez más...

También debía olvidar la fragancia que le apresaba los sentidos, impidiéndole apartar los ojos del rostro de ella, de sus labios... Y, sobre todo, debía olvidar el suave aliento que se le escapaba a ella de los labios, embriagándolo...

La música terminó por fin. Él se detuvo en seco. Incluso más abruptamente, ella se soltó de su abrazo, pero no se movió. Se quedó allí un momento, mirándolo fijamente, como si no pudiera parar...

Bastiaan se percató de que los senos se alzaban rápidamente, como si tuviera la respiración acelerada y el pulso mucho más. Bajo la espesa capa de maquillaje, se adivinaba el rubor que había cubierto las mejillas. Podía verlo... sentirlo...

Ella apartó la mirada de él y se volvió hacia el lugar en el que Philip estaba sentado. El joven tenía una expresión de impaciencia en el rostro por la ausencia de Sarah. Parecía descontento por el hecho de que ella hubiera estado bailando con su primo. No obstante, la miraba con la misma admiración de siempre.

Cuando Sarah llegó a la mesa, Philip se puso de pie inmediatamente.

–¡Vaya! –exclamó ella. No se sentó–. Estoy agotada de bailar. Dos bailes y dos compañeros diferentes... Más que suficiente para mí en una sola noche –añadió con deliberada alegría. Entonces, tomó el vaso de agua y dio un sorbo–. Debo volver al camerino para prepararme para mi próximo número.

Como sabía que Bastiaan Karavalas estaba a sus espaldas, no le podía decir nada más a Philip. Dio un paso atrás y se colocó frente a frente con su último compañero de baile.

–Buenas noches –le dijo.

Trató de infundir un aire casual a su voz. Debía recuperar el control, tal y como Sabine haría. Sabine no se habría visto en absoluto afectada por el baile con Bastiaan Karavalas. No habría sentido su cuerpo temblar. No. Sabine habría mantenido la compostura sin inmutarse. Estaría más que acostumbrada a que los hombres como Bastiaan Karavalas la desearan.

Notó que Philip estaba hablando, por lo que se esforzó por prestar atención.

–Te veré mañana en el... aquí –dijo.

Sarah se sintió aliviada de que Philip hubiera evitado mencionar la palabra «ensayo».

Sonrió. Cálidamente. No quería hacerle daño y los sentimientos de Philip eran tan transparentes...

–¿Por qué no? A menos... a menos que tu primo y tú tengáis otros planes –añadió mirando a Bastiaan–. Debes disfrutar al máximo de su compañía mientras esté aquí.

Vio que Bastiaan parpadeaba.

–Tal vez esté por aquí algún tiempo –dijo él–. Todo depende...

Ella no respondió. Se limitó a sonreír ligeramente y a despedirse con la mano de Philip. Quería ser amable con él. Philip era tan joven y sentía tanto...

Entonces, desapareció por la puerta que llevaba a la parte posterior del escenario.

Lentamente, Bastiaan se sentó. Philip hizo lo mismo. Bastiaan guardó silencio. Su cabeza estaba llena de pensamientos, demasiado llena, pero solo uno predominaba. Quería escucharla cantar. Quería darse un festín visual de ella, comérsela con los ojos.

En realidad, no solo con los ojos...

Capítulo 5

CUANDO Sarah ocupó su lugar en el escenario, era plenamente consciente de cómo aquellos ojos oscuros y misteriosos la abrasaban con la mirada. Era la misma sensación que había experimentado la noche anterior, cuando no sabía quién la observaba y tan solo había podido sentir aquella mirada. Volvió a encontrarse de nuevo expuesta, pero en un grado muy superior. Un estremecimiento le recorrió el cuerpo.

No podía parar de preguntarse por qué. ¿Por qué reaccionaba de aquella manera? ¿Por qué aquel hombre, el primo misterioso y turbador de Philip, era capaz de provocar tal respuesta en ella? Nunca antes se había sentido tan afectada por un hombre. Por el deseo que un hombre sentía hacia ella. Un deseo que ella también sentía.

Aquella era la verdad. Sin previo aviso, como un rayo que se estrellaba contra el tronco reseco de un árbol, le había prendido fuego.

El pánico estuvo a punto de apoderarse de ella.

«No puedo. No estoy acostumbrada a esto. Ningún hombre me ha hecho sentir nunca así, como si estuviera ardiendo desde dentro. No sé qué hacer ni cómo reaccionar...».

Nada de lo vivido con Andrew la había preparado nunca para algo así. Nada. No sabía que era posible sentirse tan abrumada, tan indefensa. Tan excitada.

Bajo la luz del foco, sabiendo que los oscuros ojos

de Bastiaan Karavalas la estaban observando, que estaba expuesta a su mirada, su cuerpo reaccionó como si estuviera ardiendo.

Quería correr, huir del escenario, pero eso era imposible. No le quedaba más remedio que seguir allí, con el micrófono entre los dedos, cantando con voz íntima... Mientras Bastiaan Karavalas se saciaba con la mirada de ella.

Comprendió que no era ella a la que miraba, sino a Sabine. Era Sabine la que estaba allí, frente a él. Y Sabine podría soportarlo. Por supuesto que podría. Sabine no se sentiría ni indefensa ni abrumada por el descarado deseo que había en aquellos ojos oscuros. Ni por su propio deseo.

Debía ser Sabine para poder soportar lo que le estaba ocurriendo, para poder aplacar el fuego que le ardía en las venas y le abrasaba los sentidos. Se aferró a aquel pensamiento para terminar su actuación.

Nunca le había parecido tan larga como aquella noche. No supo cómo pudo soportarlo, pero, por fin, descendió del escenario con un profundo alivio.

Cuando llegó a su camerino, vio que Philip la estaba esperando.

–Sarah, este domingo... ¿podrías venir a mi casa a almorzar? –le preguntó esperanzado–. Yo me moría de ganas por pedírtelo, pero ha sido Bast quien lo ha sugerido.

Sarah sintió que un temblor le recorría el cuerpo. ¿Por qué? ¿Por qué había sugerido Bastiaan Karavalas que ella fuera a almorzar a su casa?

Volvió a acelerársele el pulso. Los pensamientos se le arremolinaban en la cabeza, incoherentes y confusos. Tenía que responder, pero ¿cómo?

–¿Vas a venir? Por favor, dime que sí... –insistió Philip.

–Yo... no estoy segura –musitó.

–¿Qué es lo que estáis planeando?

La voz de Max resonó a sus espaldas. Parecía estar bromeando, pero poseía una intencionalidad que no le pasó por alto a Sarah.

Philip se volvió.

–Le estaba preguntando a Sarah si le gustaría venir a mi casa el domingo para almorzar con mi primo y conmigo –le dijo.

–¿Tu primo? –le preguntó Max muy interesado.

–Sí. Mi primo Bastiaan Karavalas –respondió Philip–. Me alojo en su casa. Ha venido a visitarme desde Grecia.

–Karavalas... –murmuró Max.

Sarah sabía que estaba almacenando la información para comprobarla más tarde, al igual que había hecho con el nombre de Philip. Cualquier primo de Philip, sería rico también y, por esa razón, sabía que no le iba a gustar lo que Max tuviera que decir al respecto.

Max sonrió a Philip.

–¿Y por qué esperar hasta el domingo? –replicó–. Que sea mañana. Modificaré el horario para que Sarah pueda terminar a mediodía. ¿Qué te parece?

A Philip se le iluminó el rostro.

–¡Fantástico! Voy a decírselo a Bast ahora mismo. ¡Genial!

Sonrió a Sarah y a Max y se marchó corriendo.

Sarah se volvió para mirar a Max.

–Max... –dijo en tono enojado.

Max levantó una mano.

–No digas nada. Conozco tu opinión sobre lo de pedirle a Philip dinero, pero... pero ese Bastiaan Karavalas, el primo... Bueno, es diferente, ¿no? Un hombre adulto que tiene una villa en Cap Pierre... y supuestamente mucho más, no requiere que se le trate con el mismo cuidado que a un niño, ¿verdad? Por lo tanto, *cherie*, vete a almorzar con esos hombres tan agradables y tan ricos. Espero que seas encantadora con ellos.

La expresión de Sarah se endureció.

–Max, si piensas que...

–*Cherie*, es tan solo un almuerzo... Nada más que eso. ¿Qué te pensabas que te estaba sugiriendo?

Parecía divertido por aquella conversación y eso molestó a Sarah.

–Ni lo sé ni me importa –replicó. Entonces, le cerró la puerta del camerino en las narices.

La consternación se apoderó de ella. No quería ir a la villa de Bastiaan Karavalas y pasar allí la tarde. No quería pasar ni un solo instante más en su compañía. No quería darle otra oportunidad para que pudiera someterla a la misteriosa y potente magia que emanaba de él.

«No necesito esta distracción. Tengo que centrarme en el festival. Es lo único que me importa. Nada más. ¡Quiero que Bastiaan Karavalas desaparezca de mi vida!».

Estaba ya quitándose el vestido cuando se detuvo de repente. Tal vez ir a la casa de Karavalas no era tan mala idea después de todo. Tal vez podría sacar ventaja de todo aquello y encontrar la oportunidad de quedarse a solas con Karavalas para sugerirle que sería buena idea que se llevara a Philip de allí. La distancia terminaría rápidamente con aquella atracción de juventud.

Así, conseguiría que Bastiaan Karavalas se marchara también. Dejaría de molestarla y, de ese modo, ella podría concentrarse en lo único que le importaba en aquellos momentos: prepararse para el festival.

Sí. Respiró profundamente para tranquilizarse. Eso haría que pasar una tarde en su compañía mereciera la pena. No había otra razón para querer pasar una tarde con Bastiaan Karavalas.

«Mentirosa», le dijo una vocecita interior. Una voz

que le susurraba con el suave y seductor tono de Sabine.

–¡Va a venir mañana! –exclamó Philip muy contento cuando se reunió de nuevo con su primo.

–Qué sorpresa... –murmuró Bastiaan.

Por supuesto, *mademoiselle* Sabine no podía perder la oportunidad que se le ofrecía.

Philip no se dio cuenta de la ironía con la que Bastiaan le había respondido.

–¿Verdad que sí? –contestó Philip–. Considerando lo...

Se detuvo en seco.

Bastiaan lo miró extrañado.

–¿Considerando qué?

–Bueno, nada –respondió Philip rápidamente, pero parecía que estaba ocultando algo.

Bastiaan se quedó muy extrañado. ¿Qué era lo que le estaba ocultando Philip? ¿Tan profundos eran los sentimientos que tenía hacia ella que no era capaz de ver lo que era aquella mujer? Sin duda, no se equivocaba. Philip no parecía transmitir el aura de un joven que hubiera conseguido el objeto de su deseo y devoción. Aún lo estaba adorando.

Una profunda satisfacción masculina se apoderó de él. Aquello no le agradó, sino más bien al contrario. Maldita sea... Solo pensar que se podría alegrar de que Philip estuviera aún soñando despierto por la deliciosa cantante rubia y que eso no fuera porque así sería más fácil separarlo de ella era inaceptable.

Cambió de tema deliberadamente.

–Bueno, esta noche... ¿quieres venir a Montecarlo? Podemos cenar por ahí y te puedes quedar a dormir en mi apartamento.

De nuevo, se trataba de una pregunta intencionada,

para descubrir si Philip quería volver a hablar con la bella Sabine para intentar un acercamiento nocturno. Para su satisfacción, Philip se mostró completamente de acuerdo con su sugerencia, lo que ayudó a Bastiaan a confirmar que, por muy enamorado que estuviera de la cantante, la situación no había progresado todavía a nada más tangible.

Entonces, se le ocurrió un pensamiento mucho menos bienvenido. ¿Acaso aquella mujer estaba evitando echarle las redes por completo hasta que Philip tuviera el control absoluto de su dinero? ¿Era acaso ese su plan? Se le endureció la expresión mientras salían del club. Razón de más para estudiarla. Para analizarla.

Por supuesto, todo ello era para rescatar a su primo. No había ninguna otra razón oculta...

Ninguna razón que él fuera a permitir.

–¡Basta! –exclamó Max levantando la mano con impaciencia–. ¡He dicho *sostenuto,* no *diminuendo*! Si no sabes la diferencia, Sarah, créeme que yo sí la sé. Otra vez.

Sarah tuvo que contener la respiración, pero no dijo nada a pesar de que estuvo a punto de hacerlo. Aquella mañana, el comportamiento de Max era particularmente tiránico. Ella estaba teniendo muchas dificultades vocales y aquello la estaba frustrando profundamente. El ensayo no estaba yendo muy bien y Max parecía estar encontrándoles errores a todos. Todos estaban muy nerviosos.

Sarah cerró los ojos para centrarse.

–Cuando quieras, Sarah –le dijo Max en torno sarcástico.

Afortunadamente, el siguiente intento por parte de ella pareció aplacarle y Max convirtió en el blanco de sus críticas a Alain y su, aparentemente, montón de carencias. No tardó mucho en volver a atacar a Sarah.

Cuando terminaron, Sarah se sentía completamente agotada. Necesitaba desesperadamente un poco de aire fresco y un cambio de ambiente. Por primera vez, se sintió agradecida de tener la tarde libre gracias a la invitación de Philip. Recogió su bolso y se marchó.

Philip le había enviado un mensaje para decirle que la recogería en la pensión. Sarah se dirigió a ella para cambiarse y ponerse algo adecuado para almorzar en la villa de un millonario en el exclusivo Cap Pierre.

¿Y qué se podía considerar adecuado?

Al final, decidió que solo tenía un vestido posible. Se lo compró al llegar a Francia para unirse a la compañía de ópera, después de que terminara el curso escolar. No era su habitual estilo floral, sino que tenía un cierto aire de los años sesenta muy chic y con un tono de verde que favorecía mucho su pálida piel.

Se recogió el cabello con un pasador blanco y completó la imagen retro con un lápiz de labios de color pastel, sombra de ojos nacarada y una gruesa raya de delineador de ojos. Se miró en el espejo. Sí. Ciertamente, más Sabine que Sarah. Justo lo que necesitaba.

–¡Dios mío! –exclamó al salir al exterior y ver el Ferrari rojo que la estaba esperando.

–¿No te parece una belleza? –le preguntó Philip con adoración–. Es de Bast. Lo tiene en Montecarlo, donde posee también un apartamento. Hoy me lo ha dejado –añadió asombrado–. Él ya está en la casa –explicó mientras ayudaba a Sarah a meterse en el lujoso asiento del copiloto–. Bueno –concluyó mirándola con expectación tras sentarse tras el volante y arrancar el potente motor–. ¿Qué te parece?

Sarah se echó a reír.

–¡Aterrador!

Philip se echó a reír también, como si en realidad no la creyera, y empezó a conducir. Evidentemente, estaba encantado ante la perspectiva de llevar un coche tan potente y fabuloso. Sarah dejó que se concentrara en la conducción. Afortunadamente, la carretera que llevaba al Cap era residencial y tenía un límite de velocidad bastante modesto.

Solo tardaron cinco minutos en llegar a la casa. Notó que Philip sentía tener que dejar el vehículo cuando llegaron. Sarah pensó, no sin cierta pena, que por fin tenía un rival. Le agradaba tenerlo, aunque fuera de cuatro ruedas. Lo que en realidad querría ella sería una rival de carne y hueso para que Philip dejara de pensar en ella, alguien que fuera adecuada para la edad de Philip y sus circunstancias. Frunció ligeramente el ceño. ¿Qué era lo que Bastiaan Karavalas había estado diciendo la noche anterior? ¿Que había tenido que enviar a Philip a su casa de Cap Pierre porque le perseguía una mimada adolescente en Grecia? Eso era buena señal, porque eso significaba que el primo de Philip estaría de acuerdo con la sugerencia de Sarah de que se lo llevara también de allí.

Desgraciadamente, tendría que hablar con él en privado.

Aquello no era algo que ansiara hacer, ni siquiera protegida por el disfraz de Sabine.

Entró en la villa, situada en un espacioso jardín sobre el promontorio de Cap. Al hacerlo, sintió la necesidad de notar a su lado la presencia de Philip. Cruzaron el amplio vestíbulo para llegar a un enorme salón. Allí, vio la alta figura de Bastiaan Karavalas, que entraba del porche para saludarlos.

Al igual que le ocurrió la noche anterior, Sarah experimentó una instintiva y automática reacción a él. Fue como una especie de corriente eléctrica en las venas que le aceleró el pulso. Vio cómo los ojos oscuros de él se entornaban al mirarla y la corriente volvió a descargar de nuevo su electricidad en ella.

Philip le saludó y animó a Sarah a acercarse.

–Aquí estamos, Bast –dijo él alegremente–. ¿Está listo el almuerzo? Me muero de hambre. ¿Vamos a comer fuera?

–Tenemos tiempo para tomar una copa primero –replicó Bastiaan. Sarah vio que llevaba en una mano una botella de champán y tres copas sujetas por el tallo en la otra–. Vamos fuera. *Mademoiselle...*

Se hizo a un lado para permitir que Sarah pasara primero. Ella sintió los ojos de Bastiaan en su cuerpo mientras salía al exterior. Entonces, todos los turbadores pensamientos que tenía sobre el primo de Philip la abandonaron de repente.

–¡Esto es maravilloso! –exclamó.

El amplio porche, al que le daba sombra una parra y una colorida buganvilla, se abría para dar paso a un verde césped que moría a su vez en una cristalina piscina, más allá de la cual se extendían las relucientes aguas azuladas del Mediterráneo.

–Bienvenida a mi casa, Sabine –dijo Bastiaan.

Ella se volvió al oír su voz. Bastiaan la estaba mirando de arriba abajo y, de nuevo, ella sintió el impacto de aquellos ojos oscuros. Sintió de nuevo la electricidad por todo el cuerpo.

En vez del esmoquin, llevaba puestos unos chinos de color gris perla y un polo de color granate que moldeaba perfectamente su poderoso torso. Tenía un aspecto esbelto y elegante, poderosamente atractivo. Sintió que el estómago se le tensaba de apreciación.

–Sab... ven a sentarte –le dijo Philip mientras le indicaba la mesa de hierro forjado que estaba ya preparada para el almuerzo.

Había empezado a llamarla «Sab» mientras se dirigían a la casa, lo que Sarah agradecía. Así sería menos probable que la llamara por su verdadero nombre.

Tomó asiento en el lugar que Philip le había indicado. Desde allí, se dominaba perfectamente una maravillosa vista del jardín. Bastiaan se sentó a la cabecera de la mesa sin apartar los ojos de ella.

–¿Te apetece un poco de champán, Sabine? –le preguntó él.

–Gracias –respondió ella cortésmente–. Es un lugar precioso –añadió–. Si fuera mío, jamás me marcharía de aquí.

–Bueno, Bast tiene una isla entera para él solo en Grecia –comentó Philip–. Este lugar es minúsculo en comparación.

Sarah abrió los ojos de par en par. Bastiaan lo vio mientras abría la botella de champán y le dio las gracias en silencio a Philip. Quería ver cómo reaccionaba Sabine ante su riqueza. Comprobar si dejaba de prestarle atención a Philip para centrarse en él.

Mientras llenaba las copas, la observaba de reojo. Aún estaba tratando de superar la reacción que él había tenido cuando salió a la terraza. Le había sorprendido mucho la imagen que ella presentaba. En el club, ella se había mostrado como una seductora vampiresa. En aquella ocasión, había avanzado un par de décadas hasta llegar a los locos años sesenta. Era casi como si hubiera hecho un cambio de vestuario entre dos actos...

Sin embargo, eso era lo que hacía una mujer como Sabine. Fingir como nadie. Pasaba de estar en un escenario cantando canciones de amor para desconocidos a manipular los sentimientos de un joven enamorado e impresionable.

La miró con dureza. «A mí no va a ser tan fácil manipularme, *mademoiselle*».

–Me imagino que una isla privada es casi de rigor para un magnate griego, ¿no? –comentó ella con aire divertido en la voz.

Bastiaan se reclinó en su silla y levantó la copa.

–¿Acaso crees que soy un magnate? –le preguntó.

–Claro que sí. No podrías ser otra cosa –replicó ella–. Con tu isla privada en el Egeo.

Ella había copiado la ironía de la voz de Bastiaan, que provocó una chispa en sus ojos oscuros, una ligera curva en los labios... A Sarah le habría gustado no verlo... O tal vez sí.

«No, no. ¿No tengo ya bastante con lo de Philip? Lo último que necesito es que me empiece a atraer su primo».

¿Atracción? ¿Así era como llamaba ella a aquella extraña y turbadora electricidad que parecía fluir entre ellos, aquella absurda y ridícula consciencia del profundo impacto físico que aquel hombre producía en ella? ¿Atracción?

No. Aquello no era atracción. Solo había una razón que explicara lo que sentía respecto a aquel hombre. Deseo. Deseo en estado puro. Deseo ante su presencia y por su propia apariencia física: la dura mandíbula que cuadraba su rostro, la fuerte columna de la garganta surgiendo del cuello del polo, la oscuridad de su cabello acariciando la amplia frente, el modo en el que el polo moldeaba la fuerza de los hombros, del torso...

Deseo era la única manera de definir aquello. El único nombre que podía darle a lo que estaba sintiendo en aquellos momentos mientras su cuerpo se sonrojaba con cálidas sensaciones...

La desesperación se apoderó de ella. No podía permitir que ocurriera aquello, no cuando la ambición de toda una vida estaba consumiéndola en aquellos instantes. En lo único en lo que debía pensar era en su carrera. Nada más. Tenía que apagar aquel fuego rápidamente.

Tomó la copa de champán para tratar de recuperar el control.

–La isla de Bast está en el mar Jónico, no en el Egeo

–decía Philip–. Frente a la costa occidental de Grecia. No está lejos de Zakynthos.

Sarah se volvió para mirarle, agradecida a medias de poder apartar la mirada de su misterioso y turbador primo.

–No conozco nada de Grecia –confesó–. Nunca he estado allí.

–Me gustaría enseñarte mi país. ¡Te encantaría Atenas! –exclamó Philip lleno de entusiasmo.

Una carcajada resonó al otro lado de la mesa.

–¿Una vieja ciudad llena de ruinas? Lo dudo. Estoy seguro de que a Sabine le gustarían más ciudades sofisticadas como Milán o París.

Sarah no le corrigió. Efectivamente, la verdadera Sabine preferiría aquellas ciudades y, en aquellos momentos, ella era Sabine. Era mejor que dejara pasar el tema.

Se encogió de hombros en un gesto muy galo, heredado de su madre francesa.

–Me gustan los climas cálidos –respondió con sinceridad. Los inviernos de Yorkshire con los que había crecido jamás habían sido sus favoritos ni los de su madre. Su progenitora había preferido los inviernos suaves de su nativa Normandía. Volvió a mirar a Philip–. No podría soportar los inviernos gélidos de la Costa Este de los Estados Unidos que tú tienes cuando vas a la universidad.

Philip se encogió de hombros.

–¡Yo tampoco! –admitió entre risas–. Pero en Grecia nieva algunas veces, ¿verdad, Bast?

–Así es. Incluso se puede esquiar en las montañas –afirmó Bastiaan.

–¡Bast esquía como un campeón! –añadió Philip, transmitiendo una gran admiración por su primo.

–Estudié en un colegio de Suiza –dijo Bastiaan lacónicamente a modo de explicación.

Sarah miró de nuevo a Bastiaan.

–¿Por eso hablas tan bien francés? –le preguntó.

–Bueno, Bast habla también alemán perfectamente, ¿verdad, Bast? E inglés, por supuesto. Mi inglés es seguramente mejor que mi francés, por lo que en realidad deberíamos estar hablando en...

–Háblame un poco más de tu isla privada –le interrumpió Sarah para evitar que terminara la frase.

Estaba empezando a creer que lo de hacerse pasar por Sabine era ridículo. Debería sincerarse y contarle al primo de Philip su verdadera identidad para terminar con aquella situación.

Sin embargo, no se atrevía. Sabía que en parte era por la razón que le había dado a Philip, aunque también sabía que aquel no era el motivo fundamental. Sabine le daba protección, un escudo ante el asalto a los sentidos al que le estaba sometiendo Bastiaan Karavalas.

–¿Mi isla privada? –repitió él–. ¿Y qué podría decirte? ¿El tamaño? ¿La localización? ¿El valor?

No se podía objetar nada a sus palabras, pero las había pronunciado con un gesto y con un cierto tono que dejó perpleja a Sarah. Sin embargo, ella decidió continuar con la conversación. En realidad, la isla no le importaba demasiado. Había sido lo primero que se le había ocurrido preguntar para interrumpir a Philip.

–¿Qué haces en ella?

–¿Hacer? –preguntó él–. Pues muy poco –añadió con una sonrisa–. Salgo en bote a veces, nado, me relajo... No mucho más. A veces leo u observo cómo se pone el sol con una cerveza a mi lado. Nada del otro mundo. A ti creo que te resultaría muy aburrida.

Incluso mientras la contestaba, Bastiaan no podía dejar de preguntarse por qué ella no había insistido en saber el tamaño y el valor de la isla. O por qué no había tratado de averiguar qué otras propiedades tenía él, como su casa en el Caribe, su ático de Manhattan, su apartamento de Londres, su mansión en Atenas... No era propio de ella. Se había mostrado muy interesada en conseguir que él hablara sobre la isla, seguramente para lograr que él le contara lo rico que era en realidad y después...

–*Au contraire* –replicó ella. Bastiaan se percató de que los ojos volvían a teñírsele de verde–. Parece muy relajante.

Ella lo miró a los ojos durante un instante. Bastiaan no pudo contener la imagen que le asaltó el pensamiento sobre cómo podría relajarse con una mujer así en su isla privada... Sintió que el deseo volvía a apoderarse de él. La atracción que experimentaba hacia ella era tan poderosa como siempre...

Sus pensamientos se vieron interrumpidos por Paulette, que salió con la bandeja del almuerzo.

–¿Te apetece tomar vino o prefieres seguir con el champán? –le preguntó Bastiaan.

Sarah sonrió.

–¿Qué mujer no estaría encantada de poder seguir con el champán? –replicó con gesto divertido.

Trataba de mantener un tono jovial y banal. Después del almuerzo, trataría de quedarse con Bastiaan a solas para sugerirle que tal vez sería mejor que se llevara a su primo a otro lugar que le ofreciera menos distracciones. Sin embargo, a pesar de que estaba decidida, temía que llegara el momento. Temía estar a solas con Bastiaan Karavalas.

Decidió no pensar en eso por el momento y buscó algo inocuo que decir.

–Aunque si bebo demasiado a la hora de comer tal vez me quede dormida después.

Bastiaan se echó a reír. Sarah sintió que se le aceleraba el pulso.

–No habría ningún problema –dijo mientras le indicaba las hamacas que estaban colocadas sobre el césped bajo la sombra de un parasol.

–No me tientes –respondió ella mientras alargaba la mano para tomar un trozo de pan.

«Tú sí que me tientas a mí, Sabine... Me tientas y mucho...».

De nuevo, las palabras se le formaron en la cabeza sin que pudiera evitarlos. Empezó a servirse el almuerzo sumido en un revuelo de sentimientos. Mientras lo hacía, Bastiaan comenzó a considerar si de verdad sería tan malo permitir que su interés por Sabine tomara la dirección que a él tanto lo atraía. Había sido así desde el primer momento que puso los ojos en ella.

«Me tienta mucho y, sin duda, siente deseo hacia mí. Responde al deseo que yo siento hacia ella...».

No podía parar de pensar. Un pensamiento lo conducía a otro.

«Conseguiría el final que busco... El propósito de mi viaje... la apartaría de Philip y lo dejaría a él libre. Y yo conseguiría lo que quiero...».

Había tanto a su favor... ¿Por qué debía rechazar la solución al problema?

De soslayo, observó cómo Philip se ocupaba de ella y no dejaba de ofrecerle platos de encima de la mesa.

–Pollo, *brie* y unas uvas, por favor –dijo ella.

La sonrisa que le dedicaba a Philip era de afecto y el joven gozaba con ella. Sin saber por qué, Bastiaan sintió un aguijonazo bajo la piel.

«Quiero que me sonría a mí de ese modo».

Con gesto nervioso, llenó las copas de todos.

–Bueno –dijo Sarah mirando a los dos primos–, a Philip parece gustarle mucho ese monstruo rojo en el que ha ido a recogerme.

–¿Monstruo? –protestó Philip inmediatamente–. ¡Es una belleza!

–El rugido del motor es aterrador –replicó Sarah con una carcajada.

–¡Espera a que te lleve en él con el acelerador pisado a tope! –exclamó Philip–. ¡Entonces sí que lo vas a oír rugir!

Sarah se echó a temblar de un modo muy extravagante, pero Bastiaan se puso muy serio.

–No –le dijo a Philip–. Sé que te encanta la idea de ir a toda velocidad en un coche tan poderoso, pero no voy a consentir que te estrelles. Ni, peor aún, que estrelles mi coche –añadió, para quitarle hierro a la afirmación.

Philip esbozó un gesto de rebeldía en el rostro, que no tardó en desaparecer.

–Sab estaría perfectamente a salvo conmigo.

–Vente conmigo en vez de con ella –dijo–. Yo te mostraré lo que puede hacer ese coche. Haremos la Grande Corniche. ¿Qué te parece mañana?

A Philip se le iluminó el rostro.

–¡Genial! –exclamó. Entonces, su expresión cambió–. Pero... por la tarde, ¿te parece?

Bastiaan asintió.

–Sí. Estudia por la mañana y luego te recompensaré con un paseo en coche después de comer. Como sabes –le dijo a Sabine–, mi primo está aquí principalmente para completar los trabajos que tiene que realizar para la universidad. No está de vacaciones para entretenerte a ti.

El rostro de Sarah se tensó.

–Sí. Claro que lo sé –replicó fríamente. ¿Acaso se pensaba Bastiaan que ella estaba incitando a Philip a descuidar sus estudios? Razón de más para hablar con él después del almuerzo y advertirle de que tenía que sacar a Philip de allí.

Bastiaan la miró y, durante un instante, Sarah se sintió como si se le detuviera el corazón. ¿Qué poder tenía aquel hombre sobre ella? La respuesta no tardó en aparecer en su pensamiento. «Demasiado».

–Bien –replicó Bastiaan.

Los ojos de Sabine habían vuelto a cambiar de color. Se preguntó por qué. Entonces, un pensamiento mucho más potente borró aquel. Pensó en las esmeraldas. Era la joya adecuada para ella. «Esmeraldas con una ligera tonalidad azulada en la garganta y en las orejas...».

La imagen de Sabine con tales joyas fue inmediata y muy nítida. Esas gemas aumentarían la belleza de su cabello rubio y captarían el fuego de sus ojos. Sin embargo, esa belleza sería tan solo para él. Experimentó un profundo deseo, puro e insistente, que crecía en él siempre que sucumbía a la tentación de pensar en aquella hermosa y atrayente mujer, tan inadecuada para su ingenuo y enamorado primo.

«Para mí, sería muy diferente».

Por supuesto. Para él no representaba ningún peligro. Sofisticada y mundana, estaba mucho más cerca de su edad que de la de Philip. Fuera cual fuera su opinión sobre las mujeres que buscaban impresionar a hombres jóvenes por su dinero, Bastiaan no era susceptible a sus armas de mujer. Él no era vulnerable a una mujer así.

Sin embargo, ella sería vulnerable a él. Vulnerable por el deseo que él era capaz de leer en ella como si fuera un libro abierto, un deseo que él compartía y que no trataba de ocultar en modo alguno. ¿Y por qué iba a hacerlo? Para él no había peligro alguno en sucumbir a la llama que ardía entre ambos.

Dio otro trago de champán y tomó su decisión. Lo haría.

Se inclinó sobre la mesa para ofrecerle a Sabine un plato de suculentos melocotones.

–¿Te apetece? –le preguntó. En sus ojos, había una expresión que de ningún modo indicaba la fruta a la que él se refería.

Ella parpadeó. Bastiaan vio el fuego en ellos, un fuego que indicaba igual que las dilatadas pupilas que la atracción sexual que sentía hacia él irradiaba en todas las frecuencias. Bastiaan sonrió y provocó que ella sonriera también. Entonces, tomó un melocotón de los que él le había ofrecido. Bastiaan notó lo largos y delicados que tenía los dedos.

–Gracias –murmuró ella. Entonces, apartó la mirada de la de él como si encontrara difícil sostenérsela.

Bastiaan vio que ella se sonrojaba mientras colocaba el melocotón sobre su plato y comenzaba a pelarlo diligentemente, con la cabeza inclinada, como si necesitara centrarse en aquella tarea. Parecía tener la respiración más acelerada que antes. Al verlo, Bastiaan se reclinó sobre su asiento y levantó la copa de champán con satisfacción.

Philip también se había servido algo de fruta, pero, al contrario que Sarah, él mordía el melocotón con fruición, dejando que el zumo le cayera por los dedos.

–Estos melocotones están buenísimos –dijo con entusiasmo.

–¿Verdad? Están maduros y deliciosos –comentó ella.

Sarah se alegró de poder centrar la conversación en la fruta, de poder hablar con Philip de algo sin importancia. De poder apartar la atención del hombre que estaba sentado frente a ella. También se alegró mucho cuando, minutos después, Paulette llegó con la bandeja del café.

De repente, se le ocurrió un nuevo pensamiento. ¿Y si Philip supiera lo atraída que se sentía por su primo? ¿Y si ella respondiera abiertamente al deseo que Bastiaan Karavalas tenía hacia ella y el que ella sentía hacia él? ¿Terminaría así inmediatamente la atracción de Philip? Seguramente. Sería duro, pero muy eficaz.

«Y me daría a mí razón para sucumbir ante lo que me está ocurriendo».

En ese momento, como si estuviera al borde de un

precipicio, dio un paso atrás mentalmente. ¿Estaba loca? Debía de estarlo. Tanto si era Sabine como ella misma, tanto si Philip sentía una desesperada atracción hacia ella como si no, Bastiaan Karavalas no tenía lugar en su vida. Ningún lugar. Fuera cual fuera el poder del impacto sexual que él tenía sobre ella, debía ignorarlo. Suprimirlo. Alejarse de él.

«Habla con Bastiaan esta tarde, explícale que debe llevarse a Philip lejos de aquí y luego céntrate de nuevo en lo que es importante. En lo único que es importante para ti en estos momentos».

El lanzamiento de su carrera como profesional. Nada más. Nadie más.

–Sab, ¿te has traído el traje de baño?

La pregunta de Philip la sacó de sus pensamientos. Se sobresaltó.

–No... no lo he traído.

El rostro de Philip se ensombreció para luego iluminarse de nuevo al escuchar a Bastiaan.

–No hay problema. Hay una amplia colección de trajes de baño en la habitación de invitados. Estoy seguro de que podrás encontrar algo que te siente bien –dijo Bastiaan mientras la miraba como si estuviera calibrando su talla y su figura.

–¡Genial! –exclamó Philip–. Cuando nos hayamos tomado el café, te mostraré dónde puedes cambiarte.

Ella le dedicó una ligera sonrisa. Debería poner alguna excusa y marcharse, después de hablar con Bastiaan tal y como seguía siendo su intención. Sin embargo, repleta del almuerzo y el champán, no pudo encontrar las fuerzas suficientes para hacerlo.

Mientras se tomaba el café, examinó el hermoso jardín que había más allá del porche. Sin saber por qué, sintió que un estado de ánimo diferente se apoderaba de ella y le impedía marcharse. Realmente era un lugar muy hermoso con los jardines y el deslumbrante mar azul. Lo único que veía de la Costa Azul era cuando regresaba andando a su pensión y las tiendas que había en la zona del puerto. Durante el día, se centraba en los ensayos y, por la noche, se hacía pasar por Sabine. Un horario de trabajo sin pausa alguna. ¿Por qué no relajarse un poco cuando tenía oportunidad?

«¿Por qué no aprovecho todo lo que pueda que estoy aquí? ¿Quién podría pedir algo más bonito y agradable? Seguramente, cuanto más tiempo pase en compañía de Bastiaan, más me acostumbraré a él y más inmune me sentiré. Así, no me afectará tanto».

Así era como debía considerar la situación. Cuanto más estuviera con él, menos potente sería su reacción cada vez que él la miraba.

Esa seguridad desapareció totalmente cuando salió de la casa con el traje de baño que Philip le había encontrado. Aunque era de una pieza y tenía un pareo de color turquesa a juego anudado alrededor de la cintura, se sintió muy insegura cuando Bastiaan la miró fijamente desde el lugar en el que Philip y él esperaban, junto a las tumbonas.

Sin embargo, no era tan solo de su propio cuerpo de lo que se sentía tan cohibida. Tampoco de ver el juvenil y esbelto cuerpo de Philip, que llevaba unas bermudas muy coloridas y unas modernas gafas de sol. No. La razón era la rapidez con la que sus ojos se habían vuelto a mirar el poderoso torso de Bastiaan. Los esculpidos pectorales y abdominales, los fuertes bíceps y los anchos hombros. Llevaba un bañador azul oscuro que resultaba muy discreto comparado con el de Philip. Como no llevaba gafas de sol, Sarah pudo sentir plenamente el impacto de su mirada.

Tardó mucho en acomodarse sobre la hamaca y entonces, de nuevo muy vergonzosamente, se desató el pareo y lo dejó caer a ambos lados, dejando por fin al descubierto el traje de baño en su totalidad y los muslos desnudos.

–¿No te gustaron los biquinis? –le preguntó Bastiaan.

Ella se echó a temblar al pensar en dejar aún más piel al descubierto para Bastiaan Karavalas.

–No sirven para nadar –replicó ella tratando de parecer relajada. Entonces, se reclinó sobre la hamaca y levantó el rostro al sol–. Esto es maravilloso –añadió al sentir el calor del sol sobre la piel.

–¿Te gusta tomar el sol? –le preguntó Bastiaan.

–Cuando puedo –respondió ella.

–Me sorprende que no estés más bronceada, dado que solo trabajas por las noches –dijo él.

Sarah lo miró con incertidumbre. La razón por la que estaba tan pálida era porque se había pasado la primera parte del verano en el norte de Inglaterra dando clase. En Francia se pasaba el día ensayando.

–Lo intento –replicó. Entonces, para evitar más preguntas incómodas, bostezó–. ¿Sabéis una cosa? Creo que me voy a echar una siesta. El champán del almuerzo me ha dado sueño –añadió mientras se quitaba las gafas para tomar el sol. Después, sonrió a sus anfitriones–. Despertadme si empiezo a roncar...

–¡Tú no roncarías nunca! –dijo Philip inmediatamente. Evidentemente, le desagradaba pensar que su diosa pudiera hacer algo tan poco celestial.

Bastiaan soltó una carcajada. Le había gustado aquel comentario, aunque, en realidad, debía admitir que le gustaba todo lo relativo a Sabine Sablon. Al menos, todo lo físico.

Aprovechó la ocasión para admirar su esbelto y torneado cuerpo. Ella tenía los ojos cerrados, lo que le permitía estudiarla a placer. Philip, por su parte, se puso a escuchar su IPod con unos cascos.

«Es preciosa».

Fue el primer pensamiento que se le ocurrió a Bastiaan. Se dio cuenta de que ella se había quitado la mayor parte del maquillaje para sustituirlo seguramente por crema solar. Sin embargo, ese hecho no había logrado disminuir su belleza en lo más mínimo. Estudió su rostro y experimentó una profunda curiosidad. Ya no era ni una vampiresa de *film noir* ni una sirena de los años sesenta.

Entonces, ¿quién era?

La pregunta no hacía más que darle vueltas en la cabeza, pero no era capaz de encontrar respuesta. Frunció el ceño. ¿Qué importaba la imagen que Sabine Sablon eligiera presentarle? ¿Qué importaba que ella pareciera tener el suficiente sentido del humor como para reírse de sí misma? ¿Qué importaba que mientras estuviera allí tumbada, con el rostro limpio de maquillaje y recibiendo los cálidos rayos del sol, lo único que pudiera ver en ella fuera belleza?

¿Y que lo único que fuese capaz de sentir fuera deseo?

Se acomodó en la hamaca y comenzó a hacer planes. Sabía que el primer paso debía ser llevarse a Philip de allí, y para eso ya se le había ocurrido una idea.

Después, llegaría el momento de centrar sus atenciones en la seductora y hermosa mujer que estaba tumbada tan cerca de él y acercarse a ella hasta que el contacto fuera muy, muy personal...

Capítulo 6

SARAH estaba sentada, al estilo de una sirena, sobre una cálida roca a orillas del mar, observando cómo Bastiaan se acercaba a ella, cortando el agua con rápidas y poderosas brazadas. Philip y él estaban nadando desde la orilla hasta el pontón para ver quién de los dos era más rápido. En aquellos momentos, Philip estaba en el pontón, tomándole el tiempo a Bastiaan.

Sarah observó cómo Bastiaan se acercaba y se tensó. Debería aprovechar aquel momento para hablar con él. Llevaba buscando la oportunidad desde que se despertó de su siesta y los tres juntos se dirigieron al mar. Hasta aquel momento, Philip se le había pegado como una lapa, encantado de poder mostrarle las delicias de la rocosa playa privada de la casa y animándola a nadar con él hasta el pontón.

Cuando el largo brazo de Bastiaan tocó la roca y él se retorció en el agua para darse la vuelta y volver por donde había llegado, Sarah se inclinó hacia él.

–Bastiaan...

Era la primera vez que lo llamaba por su nombre directamente y le sonaba raro. Casi... íntimo.

Los ojos oscuros de él se prendieron en ella inmediatamente.

–¿Sí? –le preguntó con cierta impaciencia.

–¿Puedo...puedo hablar contigo en privado... antes de que me vaya?

Bastiaan frunció el ceño para luego relajar el rostro.

–Por supuesto –dijo–. Cuando quieras, pero ahora mismo no.

¿Le había realizado el comentario con ironía o era simplemente que deseaba terminar la carrera? Seguramente lo último, porque volvió a sumergirse en el agua inmediatamente y comenzó a nadar de nuevo con rápidas y vigorosas brazadas hacia el pontón.

Sarah respiró aliviada, sintiendo que la tensión disminuía un poco. Lo había conseguido, aunque no sentía muchas ganas de estar a solas con Bastiaan Karavalas, fuera cual fuera el objeto de su conversación. Una única palabra resonó silenciosamente en su pensamiento.

«Mentirosa».

Aproximadamente una hora más tarde, después de refrescarse en la piscina de la casa, Sarah anunció que debía marcharse. Miró a Bastiaan esperando que él recordara que le había pedido hablar a solas con él.

Bastiaan comprendió inmediatamente la indirecta.

–Deja que te acompañe a la habitación donde te cambiaste de ropa antes –dijo.

Le indicó el interior de la casa y Sarah echó a andar delante de él, aliviada por el hecho de que el pareo la ayudara a cubrirse un poco.

Cuando llegaron al vestíbulo, oyó que Bastiaan tomaba la palabra.

–Bien, ¿qué es lo que quieres decirme?

Sarah se detuvo al pie de la escalera y se giró. Se sentía incómoda ante la idea de hablar con aquel hombre tan imponente, que ejercía tanto poder sobre sus sentidos, y decirle que su primo estaba perdidamente enamorado de ella. En realidad, ¿de verdad tenía que decírselo? ¿Acaso no era evidente que Philip estaba colado por ella? Tal vez no tenía por qué decirle nada...

Sin embargo, su repentina cobardía se vio hecha

añicos ante la poderosa mirada de aquellos ojos oscuros y la severidad que se adivinaba en ellos.

Sarah levantó la barbilla.

–Tiene que ver con Philip...

Bastiaan frunció el ceño. Ella no podía apartar la mirada del torso desnudo de él, bronceado y musculado, ni del bañador aún mojado. Llevaba el cabello peinado hacia atrás, lo que acentuaba los rasgos esculpidos de la mandíbula y los pómulos.

–Yo... creo que sería una buena idea que él... que él se fuera a otro lugar a terminar sus trabajos para la universidad.

Algo cambió en la expresión del rostro de Bastiaan.

–¿Por qué?

Sarah se sonrojó, a pesar de que sus mejillas ya tenían algo de color por la exposición al sol.

–¿Acaso no resulta evidente? –replicó con voz ronca. Sus palabras resonaron con la misma incomodidad que sentía.

Bastiaan entrecerró los ojos un instante. De repente, su rostro adquirió una expresión velada.

–Ah, sí –dijo lentamente. Entonces inclinó la cabeza ligeramente hacia la de ella–. Bueno, veré lo que puedo hacer para conseguir lo necesario en ese sentido –añadió mirándola a los ojos–. Tal vez tarde un día o dos, pero creo que encontraré el modo.

No había dejado de mirarla a los ojos, pero su expresión seguía siendo velada. Durante un instante, una fracción de segundo, Sarah se preguntó si se habría expresado con suficiente claridad.

Entonces, él volvió a tomar la palabra. Su tono de voz había cambiado.

–El dormitorio en el que te cambiaste es el tercero desde el rellano. Si lo deseas, puedes utilizar el baño adjunto para ducharte y lavarte el cabello.

Una vez dicho eso, se dio la vuelta y volvió a salir al exterior.

Sarah subió la escalera con una gran sensación de alivio. Estaba hecho. Le había advertido a Bastiaan Karavalas sobre Philip y ya podía permitir que él se ocupara de ello. Fuera lo que fuera lo que se le ocurriera para sacar a Philip de su casa y alejarlo de ella, Sarah estaba segura de que sería muy eficaz. Sabía que él era la clase de hombre que conseguía todo lo que se proponía. De eso, no le quedaba ninguna duda.

Bastiaan estaba en el jardín de su casa, contemplando cómo la noche había ensombrecido el mar. Era ya más de medianoche, pero no estaba cansado. Después de que Philip llevara a su casa a Sabine, encantado de volver a disponer del Ferrari de su primo, los dos se habían ido a cenar a Villefranche. Habían compartido una comida relajadamente, charlando principalmente sobre coches. Philip no había parado de hacerle preguntas sobre las marcas y los modelos más competitivos.

Bastiaan le había contestado con mucho gusto, a pesar de que sabía que su tía vivía aterrorizada por el entusiasmo de su hijo por unas máquinas tan poderosas y tan potencialmente letales. Sin embargo, cualquier cosa que evitara que Philip pensara en los cantos de sirena de Sabine Sablon era más que bienvenida.

Y Philip no estaría disponible durante mucho más tiempo. Bastiaan ya estaba poniendo en funcionamiento sus planes.

Allí, en la fresca oscuridad de la noche, iluminado por la tenue luz de las estrellas que se reflejaban en el mar, los estaba perfilando. Desde el otro lado de la bahía se oía una débil música que provenía de uno de los restaurantes del puerto. En su isla del mar Jónico tan solo se oían los sonidos de la naturaleza.

Frunció el ceño ligeramente. Sabine le había dicho lo relajante que sonaba aquella isla tan remota. ¿Lo habría dicho en serio? No lo creía. Nada de lo referente a Sabine Sablon indicaba que su hábitat natural fuera nada que se pareciera a una pequeña isla deshabitada en la que, para disfrutar de la vida nocturna, era necesario un trayecto en fueraborda.

Sin embargo, había parecido disfrutar mucho aquella tarde en la villa, nadando y tomando el sol, gozando abiertamente de la relajación total que ello proporcionaba. Había admirado los jardines y las vistas del mar, agradeciendo la paz y la tranquilidad. Había parecido feliz de no hacer nada más que dejar pasar el tiempo.

Eso había confundido a Bastiaan sobre las expectativas que tenía de ella.

Su expresión cambió. Hasta, por supuesto, que llegó la hora de marcharse... Cuando se le insinuó, dejando en evidencia que le prefería a él en vez de a Philip.

Torció el gesto. Todo quedó bastante claro cuando le pidió hablar con él en privado. Tanto como su sugerencia, realizada con voz íntima y ronca, de que lo tendrían más fácil sin el joven Philip de por medio. En eso, le daría el gusto y estaría encantado de hacerlo. Con esa sugerencia, ella se había puesto directamente en sus manos.

El gesto de contrariedad de sus labios se transformó en una sonrisa. Una sonrisa de satisfacción. De anticipación.

Pronto, muy pronto, su primo estaría a salvo de los encantos de aquella mujer y él estaría disfrutándolos al máximo.

Aquella noche, la voz de Sarah era profunda y gutural cuando terminó el último número de su actuación.

Habían pasado ya varios días desde que fue a almorzar a la casa de Bastiaan Karavalas y la ausencia de Philip se había hecho notar. No se había presentado al ensayo de la mañana siguiente al almuerzo. Le había enviado un mensaje de disculpa a media mañana en el que le decía que estaba trabajando en sus tareas universitarias y que luego iba a salir con Bastiaan en el Ferrari. Tampoco se había presentado en el club aquella noche. Había recibido otro mensaje para informarle de que se quedaba en el apartamento de Bastiaan en Montecarlo. Desde entonces, no había habido nada más que silencio.

Sarah sabía por qué. Bastiaan estaba haciendo todo lo que podía para mantener a Philip ocupado y lejos de ella. Le estaba muy agradecida. Después de todo, aquello era lo que le había pedido y lo que era mejor para Philip. Y también para ella misma.

La razón no era solo que se estaba manteniendo alejada del profundo impacto que Bastiaan ejercía sobre ella, lo que era esencial para su tranquilidad mental. Más que nada, debía centrarse en el trabajo. No se podía permitir distracción alguna en aquellos momentos.

La ansiedad se apoderó de ella. Se había topado con una pared. Una pared que le impedía a ella avanzar, que los impedía avanzar a todos y que estaba provocando que Max se mostrara inflexible y cruel con ella.

Habían llegado a la escena en la que la novia de la guerra recibía noticias de la muerte de su esposo. El aria era fundamental para el drama, el punto de inflexión de la historia. Aunque técnicamente era muy difícil de cantar, no era eso lo que le estaba dando problemas.

Las críticas de Max habían sido brutales.

–¡Sarah, tu esposo está muerto! Hace poco tiempo estabas perdidamente enamorada y ahora te lo han arrebatado todo. ¡Todo está destruido! ¡Tenemos que escucharlo! ¡Tenemos que oír tu desesperación, tu incredulidad! ¡Sin embargo, no lo oigo! ¡No lo oigo en absoluto! Pasas del amor a la pena en días. De novia a viuda. Necesitamos escuchar ese insoportable viaje en tu voz. ¡Necesitamos escucharlo y creerlo!

Ella había levantado las manos con frustración.

–¡Eso es lo que no puedo hacer! ¡No me lo puedo creer! La gente no se enamora así para que termine tan solo unos pocos días más tarde. No ocurre.

Recordaba cómo se había preguntado al escuchar por primera vez la trágica historia lo que debía de ser amar tan rápidamente para luego sufrir tanto. Era irreal... bastante irreal.

Su mente comenzó a recorrer senderos que no debería.

El deseo... Sí. Deseo a primera vista. Eso sí era real. Eso era algo que no podía negar. En su pensamiento, apareció Bastiaan Karavalas, con sus ojos oscuros como la noche y su misteriosa sensualidad, la que le aceleraba el pulso y le caldeaba el cuerpo. El deseo se había despertado en ella en el momento en el que le vio y no le quedó más remedio que reconocer el poder que tenía sobre ella...

«Pero el deseo no es amor. No es lo mismo. Por supuesto que no lo es».

Recordó la exasperación de Max.

–Sarah, es una fábula. Estos personajes son arquetipos atemporales. No son personas que se vean en la calle. Anton, habla con ella... Hazle comprender –le había dicho al compositor, que estaba sentado al piano.

Sin embargo, no sirvió de nada que Anton repasara el texto con ella y le transmitiera cómo la música informaba y reforzaba las palabras que ella cantaba. Sarah seguía atascada. No era capaz de seguir.

La tensión de Max se hizo insoportable y lo mismo

ocurrió con la intensidad de los ensayos. No dejaba de recordarles a todos constantemente que el tiempo se les estaba acabando y que la obra aún no estaba al nivel esperado. Una y otra vez, interrumpía en medio de las canciones, exigiendo que repitieran, que mejoraran y que perfeccionaran su interpretación. Los nervios estaban a flor de piel y los ánimos muy exaltados entre todos ellos.

Por eso, al finalizar su actuación y bajar por fin el micrófono después de terminar su tedioso repertorio, Sarah sintió que el resentimiento se apoderaba de ella. Max los había estado haciendo trabajar mucho a todos, pero a ella más que a ningún otro. Sarah sabía que era por su bien, por el bien de la actuación y por el bien de todos ellos, pero estaba dando todo lo que podía sin que fuera suficiente. Tenía que encontrar más en alguna parte.

El cansancio se apoderó de ella. La perezosa tarde en la villa de Karavalas parecía haber ocurrido hacía mucho tiempo, mucho más que un puñado de días.

Recordó el hermoso jardín, la elegante galería y la parra del porche, el agua reluciente de la piscina y el profundo azul del glorioso Mediterráneo. Aquel cambio de escena tan total había sido un tónico en sí mismo, un alivio de los rigores de los ensayos y de la banalidad de sus actuaciones nocturnas. Había sido una experiencia relajante y agradable a pesar de la turbadora presencia de Bastiaan Karavalas.

Los recuerdos siguieron surgiendo hasta el punto de que se sintió invadida por una extraña calidez, casi como si pudiera volver a sentir las manos de Bastiaan de nuevo sobre su cuerpo, tal y como ocurrió cuando estuvieron bailando. Le parecía sentir la cercanía física, la ardiente sensación de la abrumadora atracción que sentía por él. No podía explicar esa atracción, ni enfrentarse a ella ni, ciertamente, dejarse llevar.

No debía pensar en él. No había razón. Philip y él se habían marchado. Debía centrarse tan solo en los ensayos para el festival. Entonces, ¿a qué se debía la extraña sensación que parecía adueñarse de ella, retorciéndose cuando encontró su objetivo en algún profundo lugar de su ser? A nada. Bastiaan Karavalas había desaparecido de su vida y ella debía alegrarse por ello.

Realizó una ligera reverencia y, al incorporarse, miró hacia las mesas una última vez antes de abandonar el escenario.

Se encontró con la mirada de Bastiaan Karavalas. Cuando identificó su silueta, sintió un impulso dentro de ella que pareció provenir del mismo lugar que la sensación anterior. Se marchó rápidamente del escenario, consciente de que el corazón le estaba latiendo mucho más rápidamente. ¿Qué hacía aquel hombre allí? ¿Habría ido para decirle tan solo que se había deshecho de Philip o había otro motivo? ¿Un motivo al que se negaba a poner nombre?

Max sí se lo puso.

–Has perdido a tu rico y joven admirador, *cherie*, pero he visto que lo has reemplazado por otro nuevo. Cultiva su amistad... he investigado un poco sobre él y vale una fortuna.

Sarah se quedó atónita. Prefirió guardar silencio para no decirle algo de lo que pudiera arrepentirse.

–No sé lo que está haciendo aquí –dijo encogiéndose de hombros al ver que Max esperaba que respondiera.

Max le dedicó una sonrisa irónica.

–¡Venga ya! ¿Quieres que te lo diga más claro?

Sarah volvió a encogerse de hombros y, en aquella ocasión, no se molestó en responder de ningún modo.

–¿No se te ocurre otra cosa? –añadió Max–. Vete con él. Resulta evidente que ha venido a verte a ti.

Como te he dicho, sé amable con él... Lo único que te pido es que no llegues tarde al ensayo de mañana, ¿de acuerdo?

–¡Pero qué estás diciendo! –exclamó ella indignada ante lo que Max estaba sugiriendo.

Le daba igual que Max estuviera bromeando como que no. Estaba demasiado cansada para que le importara. Sin embargo, si Bastiaan se había tomado la molestia de presentarse allí, su deber era devolverle la cortesía.

Max se puso a hablar por teléfono con Anton, por lo que Sarah se separó de él y se dirigió hacia la sala. Tenía sentimientos encontrados. Por un lado, le hervía la sangre y, por otro, sentía deseos de salir corriendo. Ambas sensaciones batallaban dentro de ella.

Bastiaan se puso de pie al ver que ella se acercaba a su mesa. Parecía más alto que nunca y, de repente, más imponente. Procuraría que aquel encuentro fuera lo más breve posible. Era lo más sensato.

–*Monsieur* Karavalas –le dijo ella con una ligera sonrisa en los labios.

Él frunció el ceño mientras le ofrecía una silla para que se sentara.

–Bastiaan, por favor –murmuró–. ¿O es que acaso hemos dejado de tutearnos?

Sarah no respondió. Se limitó a sonreír con cortesía y se sentó segundos antes de que lo hiciera él.

–Bien, ¿qué es lo que has hecho con Philip? –le preguntó por fin. Por supuesto, aquella era la única razón de que él estuviera allí.

–Acabo de regresar de llevarlo a París –respondió.

–¿A París? –preguntó Sarah muy sorprendida.

–Sí –afirmó él mientras levantaba su copa de coñac–. Se va a reunir allí con su madre y luego van a visitar a algunos amigos de la familia.

–¿Cuánto tiempo estará fuera? –le preguntó ella.

Trataba de mantener un tono de voz despreocupado, pero le resultaba difícil. Se sentía muy nerviosa ante la presencia de Bastiaan.

–El suficiente.

Ella lo miró fijamente y trató de aplacar las extrañas sensaciones que experimentó ante aquella inescrutable mirada, una mirada que, de repente, le comunicó claramente su mensaje.

–Y ahora, tras habernos deshecho del problema de mi primo –añadió Bastiaan–, podemos pasar a hablar de temas más interesantes.

Algo cambió en su rostro. Entonces, él se relajó contra la butaca y levantó la copa de coñac, curvando delicadamente los dedos alrededor del cristal.

Sarah no pudo responderle. Tan solo pudo permanecer allí sentada, con los labios ligeramente separados y sintiendo que el corazón se le aceleraba de nuevo. El resto de la sala había desaparecido. Solo estaba ella allí sentada, con el cuerpo vibrándole de una sensual excitación al pensar en lo que aquel hombre podía hacerle...

De repente, Bastiaan sonrió.

–Y ese tema es, Sabine, dónde vamos a cenar esta noche –dijo–. La última vez, despreciaste mi sugerencia de acudir a Le Tombleur, pero tal vez esta noche cuente con tu aprobación.

–¿Esta noche?

–¿Acaso necesitamos esperar más, Sabine?

La formalidad y el fingimiento habían desaparecido. Ya no trataba de ocultar lo que había surgido entre ellos desde el primer momento. Era en aquellos momentos una realidad y se le abría paso por las venas, retumbándole en el corazón y abrasándole la piel hasta llegarle al centro de su feminidad.

Aquel hombre, y solo él, había entrado en su vida cuando menos lo esperaba y lo deseaba. Era capaz de acelerarle el pulso y en su misteriosa y turbadora presencia su cuerpo parecía cobrar vida.

La tentación la abrumaba. La tentación de aceptar sin reparos todo lo que él le ofreciera. Dejar simplemente que él le tomara la mano, la ayudara a levantarse de la mesa y la llevara a donde él quisiera... A una intimidad física, a una intensidad sensual, a embarcarse en los reinos de posibilidades sensuales que ella jamás se había imaginado...

¿Y por qué no? Ella era una mujer libre, adulta e independiente. Podría marcharse con él como Sabine, la mujer que él creía que era. Bastiaan se movía en un mundo de relaciones físicas que saciaban el cuerpo, pero que dejaban el corazón intacto. Siendo Sabine, podía dejarse llevar por aquella aventura, podría exprimirla al máximo, podría beberla como si fuera una copa de champán que le embriagara la sangre, pero que le dejara completamente sobria al día siguiente.

La tentación era grande y dominaba sus sentidos y su consciencia. Entonces, como si hubiera recibido un jarro de agua fría, se zafó de ella.

No era Sabine. Ella era Sarah. Sarah Fareham, que llevaba toda su vida peleando por conseguir el momento del que estaba ya tan cerca, el momento en el que podría salir por fin al escenario y dar la actuación de la que dependía toda su vida futura.

«No puedo irme con él. No puedo».

Sintió que la cabeza comenzaba a moverse.

–*C'est impossible.*

Él la miró muy serio.

–¿Por qué?

Sarah no respondió. No podía hacerlo. No se atrevía. Estaba al borde del abismo, pero no podía ceder a la tentación que le lamía los pies como el agua del mar al subir la marea.

Volvió a negar con la cabeza y se tomó la taza de café con mano temblorosa. Entonces, se puso de pie y lo miró. Por última vez.

–Buenas noches, Bastiaan –dijo. Tras eso, bajó la cabeza y se alejó de la mesa.

Cuando alcanzó la puerta que llevaba a bambalinas, la abrió y se dirigió a su camerino.

Bastiaan observó cómo se marchaba. Entonces, lentamente, tomó su copa de coñac. Un sentimiento que no pudo identificar se apoderó de él. ¿Ira? ¿Era eso? ¿Ira porque ella hubiera desafiado su voluntad de aquel modo? ¿O ira por haber negado lo que ardía entre ellos como una llama ardiente y fiera?

«La deseo... y ella me niega mi deseo...».

¿Sería incomprensión? Bastiaan no lo sabía. Tan solo estaba seguro de una cosa: que necesitaba aquel coñac casi como el aire para respirar. Vació la copa de un trago y entonces, se levantó y se marchó del club. El propósito se reflejaba en cada paso que daba.

Capítulo 7

SARAH se quitó las pestañas postizas con dedos titubeantes. Entonces, con manos temblorosas, se limpió el pesado maquillaje sin preocuparse demasiado de retirarse por completo el de los ojos. Se sentía temblando por dentro y con el ánimo hecho pedazos. Se había obligado a alejarse de él, pero ese hecho no parecía haber conseguido que se sintiera mejor.

Se apoderó de ella una extraña sensación, una mezcla de pánico y de anhelo, de confusión y tormento. Un abrumador deseo de marcharse de allí lo más rápidamente posible para llegar a la seguridad de su habitación en la pensión. No esperaría a cambiarse. Simplemente agarró su ropa de diario, la metió en una bolsa de plástico y, tras guardarla en su bolso, se dirigió a la puerta trasera del club. Ya hacía mucho que Max se había marchado y se alegró de ello.

Al salir al callejón al que daba la puerta trasera, sintió el aire fresco de la noche y se detuvo en seco. El Ferrari de Bastiaan bloqueaba el paso y él estaba apoyado sobre la carrocería con los brazos cruzados sobre el pecho. Sin decir una palabra, él abrió la puerta del asiento del copiloto.

–Dame una razón de por qué no quieres venir a cenar conmigo –le dijo.

Su voz había sonado profunda e intensa. Tenía la mirada prendida en la de Sarah y se negaba a soltarla. Ella sintió que abría la boca para hablar, pero no consiguió pronunciar palabra. Tenía en la cabeza un tumulto de pensamientos y sentimientos que la confundían.

–No puedes, ¿verdad? Porque esto lleva esperando desde el primer momento en que te vi.

Sarah aún estaba tratando de encontrar las palabras y los pensamientos que le permitieran reaccionar, pero le resultó imposible. Tan solo pudo sucumbir a las emociones que le recorrían todo el cuerpo y la animaban a tomar una decisión. Sintió un último y frágil pensamiento.

«Lo he intentado... He intentado evitar que esto ocurra. He intentado negarlo, he intentado evitarlo, pero no puedo... No puedo seguir negándolo. No puedo».

Ya no pudo seguir resistiéndose. Se sentó en el lujoso y cómodo asiento del poderoso deportivo y se entregó por completo a lo que estaba ocurriendo. Sucumbió a la tentación que representaba aquel hombre que le cerraba la puerta y oyó cómo arrancaba el motor. Entonces, el vehículo comenzó a moverse para llevarla al lugar al que él deseaba. Al lugar al que ella quería ir.

Lo miró de reojo y observó que él estaba haciendo lo mismo. Sarah apartó la mirada para centrarla en la acera y en los edificios que discurrían a su lado. Sabía lo que estaba haciendo y por qué.

Estaba a pocos centímetros del cuerpo esbelto de Bastiaan, sintiendo la poderosa vibración del potente motor del coche. Observó el lujoso interior, lo seductor que era estar sentada allí a su lado.

Sabía bien que su cuerpo estaba ceñido por el vestido que llevaba en sus actuaciones y que su imagen era la de una mujer llena de glamour y belleza. El hombre que estaba sentado a su lado, vestido con un elegante esmoquin, con un reloj de oro en la muñeca, gemelos en los impecables puños y el aroma especiado de su colonia, había contribuido mucho a que la situación resultara tan seductora y embriagadora.

Se dejó llevar. Ya era demasiado tarde.

–¿Adónde vamos? –le preguntó sin poder mirarlo. No se podía creer que estuviera haciendo aquello.

Bastiaan la miró con una sonrisa en los labios.

–Ya traté en una ocasión de llevarte a Le Tombleur. Tal vez en esta ocasión te muestres más dispuesta.

Sarah sintió que una descarga de alto voltaje le recorría el cuerpo de un modo que jamás había experimentado antes. Las voces de protesta que aún trataban de hacerse oír iban desapareciendo poco a poco ante la ardiente y masculina presencia de Bastiaan. El efecto que él producía en ella era cada vez más fuerte.

No tardaron mucho en llegar al restaurante, cerca de la costa de la Riviera. Bastiaan la ayudó a salir del coche y la acompañó al interior. Al verlos, el maître se acercó rápidamente a ellos y, tras colmarlos de atenciones, los acompañó a una mesa en la terraza. Desde allí, se divisaban las luces de la Riviera, iluminando la costa como si fuera un collar de perlas.

Sarah tomó asiento. Miró de nuevo a Bastiaan y vio que él estaba estudiando la carta. ¿Por qué la afectaba de aquel modo? ¿Por qué se sentía tan abrumada por él? ¿Por qué se había visto obligada a sucumbir a una tentación a la que debería haberse resistido?

¿Qué ocurriría después? No se atrevió a pensar. Se limitó a abrir la carta y mirar sin ver en realidad los complicados nombres de los platos. ¿Tenía hambre? No lo sabía. Tan solo estaba segura de que los latidos de su corazón eran cada vez más rápidos y que la piel le ardía...

–Bien, ¿qué te gustaría cenar?

La voz de Bastiaan la sacó de sus pensamientos y se alegró de ello. Se obligó a sonreír débilmente.

–Algo ligero –dijo–. ¡Con este vestido, otra cosa me resultaría imposible!

Fue un error hacer aquel comentario, a pesar de que ella lo había dicho en tono de broma. Bastiaan la sometió a un intenso escrutinio, que le provocó un ardiente rubor que tan solo pudo aplacar centrándose de nuevo en la carta. Encontró un plato que parecía cumplir sus requerimientos. Vieiras con salsa de azafrán. Él también eligió rape a la plancha. A continuación, escogió el vino adecuado.

Después, Bastiaan se reclinó sobre la silla y la miró a placer. La satisfacción se apoderó de él. No le había sorprendido que ella terminara cediendo, pero no por ello le resultaba menos gratificante. Por fin la tenía solo para él.

Su sensación de satisfacción se acrecentó. Al seducirla tal y como había planeado, conseguiría su objetivo de aplastar todas las ambiciones que ella pudiera tener referentes a su primo. Sin embargo, al verla sentada allí con él en la terraza, con la noche envolviéndolos, de alguna manera, su primo pareció muy irrelevante.

–Bueno, háblame un poco de ti, Sabine –comenzó. Era una pregunta inocua y previsible, pero vio que ella parecía ocultar sus ojos con un velo.

–¿De mí? –repitió–. ¿Y qué puedo decir que no sea ya evidente? Soy cantante, ¿qué si no?

–¿De qué parte de Francia eres? –le preguntó él. Otra pregunta sin importancia. Sin embargo, una vez más, la vio dudar.

–De Normandía. De un pueblo pequeño no muy lejos de Rouen –dijo. Era la localidad donde nació su madre. La parte de Francia que mejor conocía y, por lo tanto, parecía la respuesta más segura.

–¿Y siempre has querido ser cantante?

Sarah se encogió de hombros.

–Una utiliza el talento que Dios le ha dado –repuso. Una respuesta tan genérica como le fue posible.

Bastiaan entornó la mirada y Sarah lo advirtió. ¿Se había dado cuenta de que le estaba contestando con evasivas? Se alegró de que llegara el *sommelier* en ese momento, desviando así la atención de Bastiaan. Sin embargo, cuando se marchó, Bastiaan levantó su copa de vino.

–Por nuestro tiempo juntos –dijo con una sonrisa.

Sarah levantó también su copa y lo miró a los ojos. Era como ahogarse en terciopelo negro. Sintió que se le aceleraba la sangre y que se le hacía un nudo en la garganta. Un sentimiento de irrealidad se apoderó de ella y, sin embargo, todo era muy real, muy vívido. Estaba sentada allí, muy cerca del hombre que era capaz de incendiar sus sentidos con tan solo una mirada.

Aquello era ridículo. Sentirse tan abrumada por aquel hombre... Tenía que recuperar la compostura. Si iba a refugiarse en la personalidad de Sabine, debía mostrarse tan tranquila y relajada como ella lo estaría. Respiró profundamente y, tras dejar de nuevo la copa sobre la mesa, deslizó la mirada por la increíble vista que se extendía a sus pies.

–Si la comida es tan excepcional como el lugar, entiendo por qué este restaurante tiene una reputación tan buena –murmuró. Le pareció un comentario seguro al que poder aferrarse.

–Espero que te agraden mucho las dos cosas –replicó él.

–¿Tiene ya una estrella Michelin? –preguntó Sarah tras volver a mirarlo de nuevo. Otro comentario inocuo.

–Una, pero está a punto de conseguir la segunda.

–Me pregunto cuál es la diferencia...

Bastiaan tomó su copa. Hablar de estrellas Michelin era un tema perfectamente aceptable que les duró hasta que llegó la cena. Entonces, comenzaron a hablar de la Costa Azul. Comentaron cómo había cambiado y cómo se había desarrollado y cuáles eran sus encantos y atractivos.

Bastiaan era el que más hablaba y pronto se dio cuenta de que Sabine se limitaba a hacerle preguntas para conseguir que la conversación fluyera.

Todo el tiempo y al mismo tiempo, como la profunda y poderosa corriente de un río, se estaba produciendo otra conversación, silenciosa y sin palabras, que iba ganando fuerza con cada sonrisa, con cada gesto, con cada movimiento de los cubiertos, con cada roce de la copa de vino, con cada cambio en la postura del cuerpo... Con cada bocanada de aire que tomaban.

Aquella conversación solo podía tener un final. Tan solo podía llevarlos a un único destino. El destino al que Bastiaan había decidido que ella debía ir. El lugar al que Sarah no podía resistirse a acompañarle.

Sarah se montó en el coche y Bastiaan hizo lo propio para colocarse detrás del volante, junto a ella. Inmediatamente, el espacio que los confinaba pareció encoger. Sarah era incapaz de reaccionar. Oyó el potente rugido del motor y el deportivo avanzó repentinamente, apretándola aún más contra el asiento. Podía sentir el rumor de los latidos de su corazón y el calor del rubor sobre la piel.

Sabine, atractiva, sensual y sofisticada, podía rendirse a la tentación que le suponía Bastiaan Karavalas y todo lo que le prometía. Sabine la había conducido a ella hasta aquel lugar, hasta aquel momento, un momento que Sabine desearía que llegara, un momento en el que Sabine desearía estar.

«Va a ocurrir. Va a ocurrir y yo no voy a detenerlo. Quiero que ocurra».

Así era. Tal vez sería una decisión precipitada y alocada, lo último que había esperado que le ocurriera aquel verano, pero iba a marcharse con Bastiaan Karavalas aquella noche.

En cuanto al día siguiente... Ya se ocuparía de eso cuando llegara el momento.

En aquel instante, solo estaban él y ella y Sarah iba a dirigirse a donde él quisiera llevarla.

Y Bastiaan la llevó a su apartamento de Montecarlo.

Era completamente diferente a la villa de Cap Pierre. Estaba situado en un moderno edificio de varias plantas y su decoración era minimalista y contemporánea. Sarah se colocó junto a los enormes ventanales y miró hacia el puerto, observando cómo las luces de la ciudad titilaban como diamantes. Sentía la rica sensualidad de su cuerpo, el temblor de sus extremidades mientras esperaba que el hombre que estaba a sus espaldas hiciera algún movimiento. Que la tomara entre sus brazos y la llevara a la cama.

Oyó que él murmuraba algo y sintió la calidez de su aliento en la nuca. Después, sintió las manos sobre los hombros con un tacto ligero como una pluma y a la vez muy poderoso. Aquella sensación le cortó la respiración y le hizo entreabrir los labios al tiempo que el temblor de sus extremidades se intensificaba. Bastiaan le deslizó las poderosas manos por los brazos desnudos y le agarró las muñecas. Entonces, con un movimiento tan sutil como irresistible, le hizo darse la vuelta hacia él.

Sarah levantó su rostro hacia el de él. Estaba tan cerca que podía sentir la fuerza y el calor de su cuerpo, vibrar con la oscura intensidad de aquella mirada, de aquellos ojos que le transmitían todo lo que sabía que reflejaban los suyos propios.

Él sonrió, como si supiera lo que ella estaba sintiendo. Le recorrió el rostro a placer, fijándose en todos los detalles, en cada curva de sus rasgos.

–Eres tan hermosa... tan hermosa –comenzó con voz ronca.

Durante un largo momento, mantuvo la mirada prendida de la de ella. Estaban de pie, frente a frente. Después, le rodeó la esbelta cintura con las manos y la atrajo hacia él muy lentamente, como si cada ligero incremento en la presión que ejercía a sus manos para atraer a Sarah hacia él fuera en contra de su voluntad, aunque le resultara tan imposible resistirse como a ella.

Ella tampoco quería... Tan solo deseaba sentir la boca de Bastiaan acercándose a la suya, ansiaba que él fusionara los labios con los suyos, que tomara su boca y la poseyera, que la moldeara y entreabriera...

Cuando lo hizo por fin, Sarah cerró los ojos y suspiró, emitiendo un sonido de absoluto placer. Con habilidad y lenta sensualidad, la boca de Bastiaan poseyó la de ella y la saboreó. Dentro de su ser, Sarah sintió que el calor de su cuerpo se licuaba. El corazón pareció dejar de latirle cuando sintió cómo los labios se deslizaban deliciosamente sobre los suyos, obligándole a abrir la boca y profundizando el beso.

Bastiaan le apretó la cintura con más fuerza y se movió ligeramente para poder amoldarse más contra el cuerpo de Sarah. Entonces, ella se sorprendió al darse cuenta de lo excitado que él estaba. Esa excitación encendió la suya. La sangre comenzó a latirle con fuerza en las venas. El aliento se le quebró en la garganta y animó a que él profundizara y acelerara la posesión de sus labios. Levantó las manos y rodeó la ancha espalda, extendiendo los dedos contra la suave tela de la chaqueta. Sintió que sus pechos se apretaban contra el muro de aquel torso y oyó que él gruñía y la estrechaba con más fuerza contra su cuerpo.

El deseo se apoderó de ella. Cada célula de su cuerpo cobró vida y sensibilidad, plena de ansia por experimentar más de lo que ella ya estaba viviendo. Entonces, como movido por un impulso, Bastiaan la tomó entre sus brazos como si no pesara más que una pluma. Avanzaba con ella así a grandes zancadas, pero sin dejar de besarla. No tardó en depositarla sobre la fría colcha de raso que cubría una amplia cama. Después, se acomodó junto a ella.

Continuó devorándole la boca con la suya y le colocó un muslo encima de los de ella. El deseo ardiente y descarado se apoderó de ella. Sintió que los senos se le tensaban y vibraban, por lo que echó hacia atrás la cabeza para levantarlos más. Otro profundo gruñido se escapó de los labios de Bastiaan. Él le hizo levantar los brazos por encima de la cabeza y la inmovilizó con una mano mientras con la otra le moldeaba posesivamente uno de los senos. Ella gimió de placer y movió la cabeza incansablemente de un lado a otro. Su boca, libre de la de él, se sentía abandonada y sola.

¿Era ella aquella mujer? ¿Podría ser ella? Tumbada así, ardiendo con un deseo que la consumía, que la poseía descarada y totalmente.

Bastiaan colocó el pesado muslo entre los de ella. Sarah meneó las caderas contra él. Deseaba experimentar más sensaciones de las que se estaban desatando dentro de ella. Hablaba sin saber lo que decía. Solo sabía que debía implorarle que le concediera lo que tanto estaba deseando, más y más a cada instante que pasaba...

Nunca antes se había sentido así, presa de una excitación profunda y salvaje, como si estuviera ardiendo con un fuego que nunca antes había conocido.

Bastiaan le sonrió.

–Creo que ya va siendo hora de que nos despojemos de estas ropas tan innecesarias, *cherie*...

Él se puso de pie para hacer efectivas sus palabras. Sarah era incapaz de moverse. Tan solo podía mirarlo bajo la tenue luz mientras se iba quitando las prendas que llevaba puestas. Cuando su firme y esbelto cuerpo volvió a inclinarse sobre el de ella, Sarah sintió su desnudez como si fuera un hierro candente. De repente, sin saber por qué, se le sonrojaron las mejillas y cerró los ojos.

Bastiaan lanzó una pequeña carcajada.

–¿Ahora te pones tímida? –le preguntó.

Sarah no podía responder, pero al menos pudo abrir los ojos. Durante un instante, le pareció ver en la penumbra que él, de repente, dudaba... Sin embargo, el gesto no tardó en desaparecer. Se vio reemplazado por una profunda y sensual apreciación.

–Eres muy hermosa tal y como eres, *cherie*, pero me gustaría ver tu belleza *au naturel*.

Llevó una mano a los hombros de Sarah e hizo caer los tirantes del vestido que ella llevaba puesto. Con delicadeza y sensualidad, le bajó el vestido hasta la cintura, mirándola de aquella manera perezosa y sensual que a ella le excitaba tanto. A continuación, siguió tirando de él y le quitó las braguitas al mismo tiempo, deslizándole ambas prendas por las piernas para liberárselas. Solo le dejó las medias.

Bastiaan estuvo a punto de sucumbir a la poderosa necesidad de poseerla tal y como estaba. Sin embargo, eso sería una locura. Echando mano de su autocontrol, se apartó de ella y abrió un cajón de la mesilla.

Sarah quería que volviera a su lado inmediatamente y le agarró, murmurando, buscándole...

–Espera... tan solo un momento...

A Bastiaan casi le resultaba imposible hablar. Su excitación era absoluta. Su cuerpo estaba a punto de explotar. Tenía que poseerla, tenía que completar lo que había deseado hacer desde el primer momento que vio su sensual y atractivo cuerpo, desde que aquellos ojos le lanzaron por primera vez su respuesta esmeralda...

Aquella mujer podría ser tan mercenaria como se temía, tan manipuladora como sospechaba, pero nada importaba. Tan solo aquel momento, aquella urgencia, aquel incontenible deseo que lo poseía.

Un instante después estuvo preparado. Una sensación de triunfo se apoderó de él. Por fin iba a poseer lo que tanto deseaba, iba a poseerla a ella, a la mujer que no le podía pertenecer a nadie más que a él.

Ella lo atraía hacia su cuerpo, lo envolvía con los muslos abriéndole su cuerpo. Con una sensación de alivio y de plenitud, fusionó por fin profundamente su cuerpo con el de ella.

Inmediatamente, como si se tratara de una tormenta de fuego, las sensaciones explotaron dentro de él y se vio abrasado por unas ardientes llamas que lo consumían en aquella pira de placer. Durante un instante tan breve que apenas fue consciente de él, sintió pena por no haberla esperado. Entonces, con una increíble sensación de sorpresa y asombro, se dio cuenta de que ella también había alcanzado el placer con él en medio de aquellas ardientes llamas, que se aferraba a él y jadeaba igual que él. Los cuerpos de ambos estaban presos de una consumación mutua que parecía no detenerse nunca...

Bastiaan jamás había experimentado algo así. Nunca en sus años de experiencia amplia y variada había sentido una intensidad similar. Era como si su cuerpo y su mente, todo su ser, hubieran ardido con una increíble e interminable sensación, como si los cuerpos de ambos se hubieran fundido juntos, fusionándose como el metal líquido, uno contra el otro.

¿Cuándo empezó a cambiar? ¿Cuándo empezó a remitir, a devolverle al plano de la realidad y de la consciencia? No lo sabía. Solo podía sentir su cuerpo temblando mientras retornaba lentamente a la Tierra. Le costaba respirar y el corazón le latía apresuradamente. Le temblaba la voz cuando se apartó de ella, consciente de que la estaba aplastando con su peso.

Dijo algo, pero no supo qué.

Ella lo estaba mirando con una expresión en los ojos que sabía que era reflejo de lo que expresaban los suyos propios. Una especie de asombro. Ella se sentía atónita por lo que había ocurrido.

Durante un largo instante, se miraron con incredulidad. Entonces, Bastiaan consiguió sonreír. Vio que ella cerraba los ojos como si la hubiera liberado y notó que una total relajación se apoderaba de él. Suspiró y volvió a tumbarse sobre la cama, acurrucándose contra ella y estrechándola contra su cálido y exhausto cuerpo.

Tenerla entre sus brazos era una sensación maravillosa y tranquilizadora. Era lo único que quería. Extendió las manos por los costados y la apretó contra él. Entonces, oyó que suspiraba con relajación y sintió que una de las manos agarraba con fuerza la suya, entrelazando los dedos. Entonces, la respiración se le fue sosegando hasta que se quedó profundamente dormida.

En su último momento de consciencia, Bastiaan estiró la mano para cubrirlos a ambos con una manta y así se quedaron, abrazados y protegidos, antes de que él se entregara al sueño. Se sentía exhausto y pleno y, en ese momento, poseedor de todo lo que anhelaba tener en la Tierra.

Algo la despertó. No estaba segura de qué se trataba. Fuera lo que fuera, había conseguido sacarla del profundo sopor en el que estaba sumida, el sopor más hondo y más dulce que había conocido nunca.

–Buenos días.

Bastiaan, envuelto en un albornoz, la miraba. Sus

ojos oscuros parecían beber de ella. Sarah no respondió. No podía. Solo podía escuchar las palabras que no dejaban de repetirse en su cabeza.

«¿Qué es lo que he hecho? Dios, ¿qué es lo que he hecho?».

De repente, algo la sobresaltó. Se incorporó como impulsada por un resorte sobre la cama.

–Dios, ¿qué hora es? –le preguntó mirándole horrorizada.

Él frunció el ceño.

–¿Y qué importancia puede tener? –repuso.

Sarah no respondió. Saltó de la cama sin importarle que estuviera desnuda. Tan solo quería recuperar su ropa.

El horror y la desesperación se apoderaron de ella. Se metió en el cuarto de baño y se miró en el enorme espejo. Lanzó un gruñido. Salió tres minutos después. Sabía que tenía un aspecto ridículo con el cabello enredado cayéndole por los hombros y el vestido de la noche anterior completamente arrugado, pero no le importaba. No se podía permitir que le importara.

A pesar de llevar puesta la ropa de Sabine, ya no quedaba nada de la cantante francesa. Sarah había ocupado su lugar y sentía un pánico que jamás había experimentado antes.

–¿Qué diablos...? –le preguntó Bastiaan mirándola fijamente.

–Tengo que irme.

–¿Cómo? No seas absurda.

Ella no le prestó atención. Salió del dormitorio y se dirigió al vestíbulo para buscar desesperadamente su bolso. Ardía en deseos de salir de allí y encontrar una parada de autobús.

«Dios, voy a tardar una eternidad en regresar... Voy a llegar tarde. ¡Max se pondrá furioso conmigo!».

Sintió que Bastiaan le agarraba el brazo y la obligaba a darse la vuelta.

–Sabine, ¿qué es lo que ocurre? ¿Por qué sales huyendo así?

–Tengo que irme –insistió ella.

Durante un segundo, el rechazo se dibujó en aquellos ojos oscuros. Entonces, como si hubiera cambiado de opinión, la soltó.

–Llamaré un taxi...

–¡No!

Bastiaan no le prestó atención. Se dirigió a un teléfono que había junto a la puerta principal y habló rápidamente con el portero. Entonces, colgó y se volvió a mirarla.

–No sé qué es lo que está pasando ni por qué, pero si insistes en marcharte no puedo detenerte. Así que... vete.

Su voz era dura, incomprensible. La expresión de su rostro vacía. Durante un instante, Sarah se sintió paralizada. Tan solo era capaz de mirarlo.

–Bastiaan, yo....

Sin embargo, no pudo articular palabra. No había nada que decir. Ella no era Sabine. Era Sarah y su lugar no estaba allí.

Él le abrió la puerta principal y Sarah la atravesó rápidamente. Mientras se dirigía corriendo al ascensor, oyó que la puerta daba un portazo a sus espaldas y se hacía eco en cada una de las células de su cuerpo.

Capítulo 8

BASTIAAN iba conduciendo como si le fueran persiguiendo los sabuesos del infierno. La carretera serpenteaba montaña arriba en los Alpes-Maritimes y había dejado atrás la Riviera para introducirse en una zona de relieve más escarpado, en el que las rocas desnudas batallaban con los cielos de color azul. La carretera subía y subía, haciendo que el motor del coche rugiera contra el silencio que lo rodeaba.

En lo alto del puerto, se apartó a un lado de la carretera e hizo caer algunas piedrecitas al vacío. Apagó el motor, pero el silencio no le reportó paz alguna. Tenía las manos agarrotadas sobre el volante.

¿Por qué había salido ella huyendo de su lado? ¿Por qué? ¿Qué era lo que le había dibujado aquel gesto de pánico en el rostro?

Los recuerdos se apoderaron de él. Lo que había ardido entre ellos había sido tan espectacular para ella como lo había sido para él. De eso estaba seguro. Su instinto masculino se lo decía. La pasión los había hecho arder a ambos. Y para Bastiaan jamás había sido así antes.

¿Había salido huyendo por lo ocurrido entre ambos? ¿Le había producido a ella la misma sensación de asombro que a él? ¿Qué era lo que no había podido soportar ni tolerar?

«Algo está ocurriendo entre nosotros, Sabine. Algo que no forma parte de tu plan de juego. Ni del mío».

Miró al profundo barranco, un espacio vacío en el que un movimiento en falso de la rueda enviaría el coche, y a sí mismo, al abismo. Trató de pensar en Philip, en la razón por la que había ido hasta allí para rescatarlo de Sabine Sablon, pero no podía. Le parecía... irrelevante. Sin importancia.

En aquellos momentos, solo había una cosa que fuera imperativa. Echó mano al contacto y arrancó el motor. Maniobró el coche para devolverlo a la carretera y lo enfiló de nuevo hacia la costa. Tan solo tenía un pensamiento en la cabeza.

Max levantó la mano para detenerla.

–Otra vez –dijo. Era capaz de controlar la voz, pero apenas lograba enmascarar su exasperación.

Sarah apretó los dedos. Tenía un nudo en la garganta. Los hombros y el pecho muy tensos. Era imposible. Completamente imposible.

Cuando llegó al ensayo, muy tarde, Max se volvió hacia ella y le dedicó una mirada asesina. Desde ese momento, todo había ido de mal a peor... a imposible.

Sarah parecía haber perdido la voz. Tan sencillo y brutal como eso. No importaba que Max ni siquiera le estuviera intentando hacer cantar el aria. No podía cantar nada. Nada en absoluto.

Sin embargo, la imposibilidad de cantar no se debía al hecho de haber llegado tan tarde al ensayo, sino más bien a que en el interior de su cabeza había tenido lugar una explosión que había borrado todo lo que antes había habido en su interior y lo había reemplazado tan solo con un único y abrasador recuerdo. La noche que pasó con Bastiaan.

Ese recuerdo le llenaba la cabeza, la abrumaba y

consumía su consciencia, abrasándole la sangre. Recordaba cada caricia, cada roce, cada beso... Era imposible hacerlo desaparecer y ese hecho imposibilitaba que pudiera ocurrir nada más.

–¡Sarah! –gritó Max, ya bastante enfadado.

–No puedo... –replicó ella llorando–. ¡Simplemente no puedo! No sé... Lo siento... ¡Lo siento mucho!

–¿Y de qué diablos me sirve que lo sientas? –le espetó él chillando. Evidentemente, había perdido el control.

De repente, todo fue demasiado. El hecho de que hubiera llegado tarde y que no fuera capaz de cantar supuso sencillamente la gota que colmó el vaso.

Alain, el tenor, dio un paso al frente y le rodeó los hombros a Sarah con un brazo en un gesto protector.

–¡Dale un respiro, Max! –le recriminó.

–¡Y danos un respiro también a los demás! –exclamó otro miembro de la compañía.

–Max, estamos agotados. Tenemos que descansar.

Las protestas se fueron incrementando y los murmullos se convirtieron en revolución. Durante un instante, pareció que Max quería seguir gritándoles a todos, pero, de repente, bajó la cabeza.

–Está bien –dijo–. Un descanso para todo el mundo. Media hora. Salid fuera y tomad un poco de aire fresco.

La tensión se alivió un poco y todo el mundo comenzó a dispersarse, hablando en voz baja y con aspecto aliviado.

Alain apartó el brazo de los hombros de Sarah.

–Respira profundamente –le dijo él con amabilidad. Entonces, se apartó de ella para dirigirse al exterior con los demás.

Sarah era incapaz de moverse. Se sentía clavada al suelo. Cerró los ojos presa de su propia agonía. Dios santo, ¿no había dicho ella que no debía tener distracciones? Ninguna distracción. Y, a pesar de decir eso, la noche anterior...

«¿Qué he hecho? ¿Qué he hecho?».

La angustia y la tristeza se apoderaron de ella. Entonces, de repente, notó que alguien le agarraba las manos.

–Sarah, mírame.

Era Max. Su voz había cambiado. Su actitud entera había cambiado. Lenta y cautelosamente, Sarah abrió los ojos. Vio que Max tenía una expresión compasiva en el rostro.

–Lo siento –dijo–. Estamos todos muy quemados y lo estoy pagando contigo. Y no te lo mereces.

–Siento mucho haber llegado tarde –repuso ella–. Y estar haciéndolo hoy tan mal.

Max le apretó las manos un poco más.

–Necesitas un respiro –afirmó él–. Y de más de media hora. Sea lo que sea lo que haya ocurrido, no eres capaz de dejar de pensar en ello. Por lo tanto...

Max se interrumpió un instante para respirar profundamente y observarle el rostro con atención.

–Lo que quiero que hagas es que te vayas. Vete. Haz lo que tengas que hacer. No quiero volver a verte en toda la semana. Tómate una semana entera, si eso es lo que necesitas para llorar encima de la almohada o... Bueno, lo que sea. Si el primo rico de Philip es bueno o malo para ti, no lo sé. Lo que importa es que no te lo puedes quitar de la cabeza y no te puedes concentrar en el trabajo. Incluso sin lo de anoche ya te habías topado con una pared y no puedo obligarte a atravesarla. Ahora, debes descansar y luego... bueno, luego ya veremos lo que haya que ver.

Max le apretó de nuevo las manos sin dejar de mirarle el rostro.

–Ten fe, Sarah. Ten fe en ti misma, en lo que eres

capaz de conseguir. ¡Ya casi lo tienes! Si no fuera así, no desperdiciaría mi genio en ti –concluyó con su habitual sentido del humor.

Dicho eso, dio un paso atrás y le golpeó suavemente las manos antes de soltárselas.

–Venga, vete. Márchate. Haz lo que quieras menos cantar. Ni siquiera los números de Sabine. Ya lo solucionaré yo con Raymond de algún modo.

Para terminar, le dio un beso en la frente.

–¡Vete! –insistió.

Y Sarah se fue.

Bastiaan enfiló el coche con mucho cuidado por las estrechas callejuelas que llevaban al puerto. Ella estaba allí, en alguna parte. Tenía que estarlo. No sabía dónde estaba su pensión, pero había un número muy limitado y, si era necesario, las comprobaría una a una. Después, le quedaba la opción del club nocturno. Allí habría alguien a esa hora del día que supiera dónde estaba ella. Tenía que encontrarla.

¿Por qué la estaba buscando?

No fue capaz de encontrar la respuesta. De hecho, se negó a responderse. Se limitó a seguir conduciendo. Apareció en la zona que quedaba frente al puerto. Miró a su alrededor, como si fuera a verla de repente.

Y allí estaba.

Bastiaan sintió que se le detenía el corazón. Ella estaba al borde del muelle, sentada sobre uno de los amarres del puerto mirando el mar. Bastiaan experimentó una miríada de sentimientos recorriéndole el cuerpo: triunfo, alivio... Detuvo el coche y se dirigió hacia ella.

–Sabine... –le dijo con satisfacción. Con posesión.

Notó que ella se sobresaltaba. Entonces, miró hacia atrás con una expresión atónita en el rostro.

–Dios...

Bastiaan sonrió.

–¿No creerías de verdad que te iba a dejar escapar? –le preguntó. Entonces, frunció el ceño–. Has estado llorando.

Había incredulidad en su voz. ¿Sabine llorando? Sintió que los pensamientos se le arremolinaban en la cabeza. Uno nuevo se entrometió.

–¿Qué es lo que te ha hecho llorar? –le preguntó. No era él. Imposible que fuera él.

Ella sacudió la cabeza.

–Es algo... complicado.

Bastiaan se agachó junto a ella y se colocó las manos sobre los muslos. Tenía el rostro al mismo nivel que el de ella, con una expresión extraña. Y los sentimientos que estaba experimentando lo eran aún más. La Sabine que estaba allí sentada, con el rostro manchado de lágrimas, era alguien nuevo... alguien a quien nunca antes había visto.

El sentimiento de posesión que se había apoderado de él al encontrarla se transformó en algo que no reconocía. Se movía dentro de él, lenta y poderosamente, obligándole a enfrentarse a lo que sentía.

–No –le contradijo él–. Es muy sencillo. Después de anoche, ¿cómo podría ser otra cosa?

La mirada de Bastiaan se convirtió en una caricia. Entonces, extendió la mano para acariciarle muy delicadamente un mechón de cabello enredado que se le había escapado de los confines de un recogido que llevaba en la parte posterior de la cabeza. Él quería deshacérselo, ver cómo aquella gloriosa melena rubia le caía sobre los hombros. La ropa que ella llevaba puesta no le gustaba, dado que parecía ser una camiseta sin forma y unos pantalones de algodón igualmente sin forma.

Tenía el rostro manchado por las lágrimas y los ojos muy tristes.

Sin embargo, mientras le hablaba, mientras la mano le apartaba tiernamente aquel mechón del rostro, Bastiaan vio cómo le cambiaba la expresión. Vio cómo la tensión le desaparecía de la mirada y cómo su pálida tez adquiría de nuevo color.

–No sé por qué huiste de mí –se oyó decir–, y no voy a preguntártelo, pero sí te voy a preguntar otra cosa –añadió mientras le agarraba la barbilla y sentía la calidez de su piel bajo los dedos–. ¿Quieres acompañarme ahora? ¿Quieres dejar a un lado las complicaciones que tengas ahora mismo en tu vida?

Algo cambió en los ojos de ella. Eran verdes, verdes como esmeraldas. Bastiaan recordó lo mucho que le gustaría cubrirla de esmeraldas. En aquel momento, le pareció algo extraño. Irrelevante. Sin importancia. Solo había una cosa importante en aquellos momentos.

La respuesta que ella le estaba dando con aquellos hermosos ojos, verdes como el mar, que se estaban suavizando al tiempo que él los miraba. Se suavizaban y se aligeraban, para llenarse de una expresión que le decía todo lo que tenía que saber.

Volvió a sonreír, no de triunfo ni de posesión en aquella ocasión. Lo hizo con afecto.

–Bien –dijo. Entonces, hizo que ella se pusiera de pie y profundizó la sonrisa–. Vamos.

La condujo al coche y la ayudó a meterse dentro.

«El resto de la semana», pensaba Sarah.

Aquella extensión de tiempo parecía de inmensas proporciones. El pánico y la tensión que se apoderaron de ella parecían haber desaparecido... Así, fácilmente. Pareció desprenderse de las dos cosas al ponerse de pie y dejar que Bastiaan le tomara la mano. Se sentía caminando por el aire.

«¡Me han liberado!».

Así era como se sentía. Como si la hubieran liberado de todas las complicaciones que la habían estado haciendo pedazos como garras y dientes desde que se despertó aquella mañana y se dio cuenta de lo que había hecho. De lo que ella, Sarah, y no Sabine, había hecho. En aquellos momentos... en aquellos momentos ya no importaba quién era.

Max había comprendido la imposibilidad que la atenazaba desde hacía varios días... desde que Bastiaan Karavalas entró en su vida.

El hombre adecuado en el momento equivocado.

Ya no sería así... No lo sería durante un puñado de gloriosos, maravillosos y liberadores días.

Se echó a temblar con los recuerdos de su pasión mientras que él arrancaba el coche. Se volvió para mirarlo con los ojos tan relucientes como las estrellas.

–¿Adónde vamos? –le preguntó.

–A mi villa.

–Maravilloso... –susurró.

Se sentía tan ligera como el aire, flotando en el cielo, brillante y libre, donde no había complicaciones que la lastraran.

Le pareció que llegaban a la villa en cuestión de minutos.

–Paulette tiene unos días libres. Por lo tanto, nos tendremos que preparar nuestro propio almuerzo –le dijo Bastiaan.

Él no quería preparar el almuerzo, sino hacer el amor. Sin embargo, el estómago empezó a protestar. Tenía hambre. De comida, de ella. Saciaría pronto los dos apetitos y la vida sería maravillosa.

Volvía a tener a Sabine a su lado y, en aquellos momentos, aquello era lo único que quería. Mientras se dirigía a la cocina, miró por la puerta acristalada hacia el porche. Tan solo hacía unos días que había estado allí almorzando con Sabine y Philip. Los tres.

De eso parecía que hacía una eternidad.

–Bueno... –dijo Bastiaan mientras dejaba la taza de café sobre la mesa de hierro forjado del porche y se reclinaba sobre la silla sin dejar de mirar a Sabine–. ¿Qué hacemos ahora?

La expresión de sus ojos dejaba muy claro lo que a él le apetecería hacer. Había saciado su apetito de comida y quería saciar un hambre de muy diferente categoría.

Sarah, que estaba sentada frente a él, sintió que se le aceleraba el pulso al notar la mirada de Bastiaan. Una maravillosa languidez se apoderó de ella al notar el fuego que había en sus ojos. Una pícara chispa relució en los de ella.

–Esa piscina tiene un aspecto irresistible... –murmuró provocativamente.

Le pareció que él gruñía de frustración, pero, galantemente, Bastiaan asintió.

–Efectivamente, y especialmente si tú estás dentro. ¿Quieres que vuelva a acompañarte a la habitación en la que te cambiaste la última vez? ¿O... quieres que prescindamos de los trajes de baño? –añadió con un brillo pícaro en los ojos.

Sarah se echó a reír en respuesta y se marchó a cambiarse. Tal vez podrían bañarse desnudos por la noche, bajo las estrellas...

El agua resultó profundamente refrescante, así como la compañía de Bastiaan. Jugaron y retozaron en el agua. Ella tuvo tiempo de apreciar veladamente, y no tanto, el imponente físico de Bastiaan. Una profunda excitación le recorrió todo el cuerpo. Durante aquel tiempo, por breve que fuera, él le pertenecía. ¿No era maravilloso?

Más que maravilloso. Increíble.

También lo fue cuando, tras retirarse al dormitorio para cambiarse y ducharse, descubrió que Bastiaan no podía esperar más.

Se metió con ella en la ducha, acariciándole el húmedo y vibrante cuerpo. Ella contuvo la respiración y después, sintió cómo Bastiaan la poseía hábil, urgente y totalmente. Le rodeó la cintura con las piernas y él la levantó contra la pared. Sarah echó la cabeza hacia atrás, presa del éxtasis, y le pareció que se había transformado en una persona completamente diferente. Una persona que no era ni la seductora Sabine ni la soprano Sarah, sino alguien cuyo único fin era unirse con aquel hombre tan sensual e increíble, fusionar su cuerpo con el de él y por último arder juntos en una explosión de gozo y placer.

Después, agotados, sintiendo cómo el agua los refrescaba, jadearon sin poder contenerse. Bastiaan cerró el grifo y agarró un esponjoso albornoz. Envolvió a Sarah como si fuera un valioso paquete. Entonces, le acarició suavemente los húmedos hombros sin dejar de mirarla a los ojos.

–¿Qué es lo que me haces? –le preguntó. Tenía un tono de voz extraño, una mirada diferente en los ojos.

Sarah apoyó la frente sobre su torso presa de la relajación que la consumía después de la pasión. No pudo responderle porque ella misma se estaba preguntando lo mismo.

Bastiaan la tomó en brazos y la llevó al dormitorio. Allí, la dejó sobre la cama y se tumbó a su lado. La tomó entre sus brazos y comenzó a besarle la nuca con delicados y aterciopelados besos. Entonces, agotados, saciados y plenos, se quedaron dormidos.

Cuando se despertaron, volvieron a hacer el amor, lenta y suavemente, tomándose su tiempo bajo la luz tenue del atardecer. Tenían todo el tiempo del mundo y, en aquella ocasión, Bastiaan la transportó a un éxtasis diferente, un orgasmo lento y gozoso que fue fluyéndole por el cuerpo como el agua dulce después de la sequía.

Luego, estuvieron un rato abrazados hasta que Bastiaan levantó la cabeza de la almohada.

–Conozco una manera estupenda de observar la puesta de sol

Y Sarah descubrió que, efectivamente, así era.

Salieron a alta mar en una lancha rápida en la que embarcaron en el pequeño muelle que había cerca de la villa. La emoción se apoderó de ella cuando Bastiaan comenzó a cortar las olas en dirección al sol, que ya había empezado a desaparecer por el oscuro horizonte. El sol estaba tan bajo que las aguas se habían vuelto doradas al besarlo.

Bastiaan apagó por fin el motor y dejó que el silencio los rodeara. Sarah se sentó a su lado y dejó que él la abrazara. Parecía que eran las dos últimas personas sobre la faz de la Tierra. Allí en el mar, con Bastiaan a su lado, se sentía como si todo lo demás hubiera cesado de existir.

Allí no había complicaciones. Allí solo estaba Bastiaan.

Cuando volvieron al muelle, era prácticamente de noche.

–¿Te gustaría que fuéramos a cenar al pueblo? –le preguntó Bastiaan.

–No, salir no –dijo ella inmediatamente. Entonces,

frunció el ceño–, pero no se me da muy bien cocinar y no quiero que tú tengas que hacerlo.

Él soltó una carcajada.

–En ese caso, pediremos que nos traigan algo de comida –dijo–. ¿Qué te gustaría?

–¿Una pizza? –sugirió ella.

–Bueno, creo que podremos conseguir algo mejor que eso –replicó él riéndose.

Por supuesto que sí.

En la Costa Azul, cuando el dinero no suponía un problema, parecía que se podía conseguir comida gourmet de cualquier sitio. Mientras Sarah se sentaba a la mesa del porche, descubrió que había llegado un equipo de camareros de un restaurante cercano, que contaba con una estrella Michelin. Entre todos, estaban preparando una cena exquisita.

Bastiaan y ella ya habían compartido una copa de champán antes de que llegara la comida y ella sentía su efervescencia en las venas. En aquellos momentos, mientras el equipo del restaurante se marchaba, Bastiaan levantó una copa de vino de borgoña.

–Por nuestro tiempo juntos –dijo. Era el mismo brindis que había hecho la noche anterior en Le Tombleur.

Sarah levantó su copa. «Por nuestro tiempo juntos. Por estos maravillosos días...». Sintió que la emoción se apoderaba de ella.

Bastiaan la miraba desde su asiento. Ella no se parecía nada a la imagen que había tenido la noche anterior mientras cenaban y se alegraba de ello. Llevaba puesto un kimono azul celeste que él había encontrado en un armario. De pura seda, iba anudado en la cintura y tenía amplias mangas y un profundo escote que permitía vislumbrar ligeramente el dulce abultamiento de los senos. Llevaba suelto el glorioso cabello, que le caía en cascada por la espalda. No iba maquillada ni lo necesitaba.

Trató de recordar por qué la había seducido. Trató de recordar sus temores por Philip. Trató de recordar que él había decidido terminar con sus maquinaciones. Sin embargo, los recuerdos parecían deshacerse cuando los divisaba. Al mirarla, todos aquellos temores parecían infundados. Absurdos.

«¿La habré juzgado mal?».

Esa era la pregunta que lo atenazaba en aquellos momentos. La pregunta que, a cada momento que pasaba con ella, parecía más y más innecesaria.

Después de todo, ¿qué pruebas tenía contra ella? Philip se había enamorado de ella. Eso era innegable. Se le veía en la mirada. Pero ¿y ella? ¿Qué había habido en su comportamiento hacia Philip?

«Yo creía que no era más que una descarada cazafortunas que trataba de explotar la juventud y vulnerabilidad de Philip... ¿Era cierto? Yo pensaba que había centrado sus atenciones en mí, que me había manipulado para que me deshiciera de Philip...».

Entonces, ¿por qué se había mostrado tan reacia a irse con él cuando Bastiaan fue a buscarla al regresar de París? ¿Por qué había huido de su apartamento aquella mañana? Si ella hubiera sido la mujer que pensaba y solo lo hubiera querido por su riqueza, se habría pegado a él como una lapa. No se habría puesto a llorar en el muelle mientras él la buscaba tan urgentemente. ¿Era ese el comportamiento de la mujer que él había creído que era? Imposible.

¿Y si había estado conjurando una imagen de ella que no era la verdadera?

–Por nosotros –dijo él dejando que sus ojos se fundieran en una cálida mirada con los de ella.

A partir de aquel momento, no permitiría que sus

temores y sus sospechas lo envenenaran. No dejaría que nada le impidiera disfrutar de aquellos momentos en los que estaba con ella.

Y, para su alegría, nada lo hizo. Encerrado con ella en la casa, le hizo el amor día y noche, y en cada ocasión lo dejaba sin palabras. No solo cautivaba los sentidos, sino algo más.

«¿Qué es lo que me haces?».

Aquella pregunta surgía en su pensamiento cada vez que la tenía entre sus brazos, con la cabeza apoyada en el torso y el brazo de ella como una cinta de seda alrededor de la cintura, el cuerpo cálido y arrebolado por la pasión.

Aquella pregunta no tenía respuesta y muy pronto dejó de buscarla. No tardó en contentarse simplemente con que las horas pasaran a su lado.

¿Quién era aquella mujer? Pensaba en lo poco que sabía de ella y ya no parecía importarle. A veces se enteraba de pequeños fragmentos de su vida. En una ocasión trató de sonsacarle datos sobre su relación con el mundo de la canción, pero ella se limitó a sacudir la cabeza y a cambiar de tema con una sonrisa y un beso.

Ella tampoco le hacía hablar a él sobre su vida. Tan solo le preguntó sobre Grecia. Quería saber cómo era vivir en un lugar con tanta historia. Jamás le pidió detalles sobre cómo se ganaba la vida o sobre su riqueza. Parecía no importarle. Tampoco le pidió salir de la villa. Parecía estar contenta con pasar cada día confinada en un lugar tan bello.

Les llevaban las comidas o ellos mismos las cocinaban. Preparaban platos sencillos como ensaladas, *charcuterie*, pasta y barbacoas entre risas y los consumían con apetito, un apetito que después se convertía en pasión del uno por el otro.

«No sabía que tener a Sabine a mi lado sería así. No sabía que sería tan... bueno».

Trató de pensar en un tiempo que no había sido así, cuando Sabine no estaba a su lado, cuando lo único que tenía eran sus temores por Philip y las sospechas hacia ella. Sin embargo, todo eso parecía ya muy lejano y parecía desvanecerse cada vez más a cada hora que pasaba. Lo único que le importaba era estar como estaban en aquellos momentos, tumbados juntos de la mano mirando las estrellas.

Sintió que el pulgar de ella se movía sensual, ligeramente por encima de sus manos entrelazadas. Giró la cabeza para mirarla y vio que ella lo estaba observando. Tenía el rostro ligeramente iluminado por la luz de la luna y poseía una delicadeza que se le reflejaba también en los ojos.

–Bastiaan... –susurró como una dulce caricia.

Al mirarla, Bastiaan sintió que el deseo se le despertaba en las venas. La hizo levantarse y, tras cubrirle el cabello con la mano extendida, le cubrió la boca con la suya.

La pasión, fuerte, dulce y verdadera, surgió con las caricias y los empujó hacia el interior de la casa para encontrarse mutuamente una y otra vez en aquel gozoso y perfecto tiempo que estaban compartiendo.

Capítulo 9

MI PENSIÓN está justo aquí –dijo Sarah mientras señalaba la esquina de la calle–. No tardaré ni cinco minutos.

Bastiaan aparcó el coche al lado del bordillo y ella salió corriendo hacia el interior del edificio. Sarah quería ponerse algo bonito para aquel día. Por fin habían salido de la villa porque Bastiaan estaba empeñado en llevarla a un lugar que se había sorprendido de que no conociera aún: el pintoresco pueblo de Saint Paul de Vence, situado en una colina a poca distancia del mar.

«Bastiaan...» El nombre le flotaba en el pensamiento y se hacía eco en todos los rincones de su cuerpo. Sarah aceptaba todo lo que él le ofrecía para que no hubiera otra cosa que estar a su lado todo el día, un hermoso día tras otro y una tórrida noche tras otra.

«Es como si estuviera dormida y él me hubiera despertado. Como si hubiera despertado mis sentidos y les hubiera prendido fuego».

En su cabeza y en su corazón, los sentimientos flotaban como una frágil burbuja iridiscente que relucía de luz y color. Una burbuja que anhelaba agarrar, pero sin atreverse a hacerlo.

El semáforo se puso en rojo y Bastiaan tuvo que detener el coche. Aprovechó la oportunidad para mirar a Sabine. Ella estaba muy ocupada mirando el contenido de un sobre que había sacado del bolso. Se percató de que era la factura de la pensión. Ella la repasó y volvió a meterla en el bolso para luego sacar otro sobre. Bastiaan vio que tenía un sello francés, pero ella le dio la vuelta para abrirlo, por lo que no pudo ver lo que llevaba escrito.

Cuando ella lo abrió y miró el interior, lanzó una discreta exclamación de placer.

–¡Qué amable de su parte!

Entonces, se mordió rápidamente los labios y, precipitadamente, volvió a meter el sobre en el bolso y lo cerró con rapidez. Justo en ese momento, la luz del semáforo cambió. El coche que había detrás del de Bastiaan hizo sonar el claxon con impaciencia y Bastiaan tuvo que arrancar. En esos pocos segundos, un escalofrío le recorrió todo el cuerpo.

¿De verdad había visto lo que creía haber visto? ¿Había un cheque en el interior de aquel sobre?

La miró de soslayo, pero ella se había colocado el bolso entre los pies. Entonces, sacó el teléfono móvil y envió un mensaje a alguien con una alegre sonrisa dibujada en los labios.

Bastiaan aceleró el motor más de lo debido y apretó con fuerza el volante. Después, se obligó a apartar aquella repentina oleada de ira de la cabeza. ¿Y por qué no iba Sabine a recibir correo? Y, si ese correo era de un hombre, ¿acaso era asunto suyo? Podría conocer a muchos hombres. De hecho, era muy probable que así fuera...

Otro sentimiento se apoderó de él, uno que no había experimentado nunca antes porque nunca había tenido motivo. Lo apartó de inmediato. Se negaba a permitir que su mente diera voz a tales preguntas. No iba a especular sobre quién podría enviarle a ella correspondencia. No lo haría.

Se arriesgó a mirarla de nuevo de reojo mientras conducía. Ella seguía con el teléfono en las manos, leyendo mensajes. Cuando volvió a centrarse en la carretera, oyó que ella soltaba una pequeña carcajada para luego escribir inmediatamente una respuesta.

Bastiaan trató de ver lo que había en la pantalla del teléfono móvil, pero le resultaba muy complicado desde aquel ángulo y con la brillantez del sol. Le pareció distinguir un rostro en la pantalla, pero desapareció rápidamente cuando ella tocó la pantalla para enviar su mensaje. Él agarró con fuerza el volante.

¿Habría sido aquel mensaje para Philip?

El pensamiento se le formó en la cabeza antes de que pudiera detenerlo. Le había resultado imposible reconocer la maldita fotografía. Podría haber sido cualquiera. Cualquiera. No dejaría que su imaginación cobrara alas y con ella sus miedos...

Se centraría en el día que los esperaba. Una agradable excursión a Saint Paul de Vence, paseando por sus estrechas callejuelas de la mano. Sería un día sencillo y sin complicaciones, igual que el resto de los días que habían pasado en su villa. Nada se entrometería en su felicidad.

Sin poder evitarlo, recordó la imagen de ella mirando el contenido de aquel sobre. Vio de nuevo el pequeño trozo de papel que había en su interior y le pareció escuchar de nuevo la exclamación de alegría que ella realizó...

«¡No!»

Se negaba a pensar en eso. Decidió que lo mejor sería olvidarse de las sospechas que tenía de ella. Con firmeza, apartó aquel pensamiento de su cabeza y levantó una mano para señalar hacia la entrada del famoso hotel en el que iban a almorzar. Ella estaba encantada al respecto. En realidad, le gustaba todo. El rostro se le iluminaba de placer y felicidad.

Al otro lado de la mesa, Sarah lo miraba con adoración. Conocía perfectamente el contorno de su rostro, la expresión de sus ojos y el roce de los labios de él sobre su cuerpo...

Parpadeó un instante. Su mirada pareció ensombrecerse. Se le hizo un nudo en la garganta. Salir de la villa de Bastiaan había sido como despertarse de un sueño. Ver el mundo exterior a su alrededor y recordar su existencia. Incluso pasar por delante del club la había afectado. Y el tiempo se estaba acabando.

Al día siguiente tendría que marcharse de su lado. Regresar con Max. Volver a ser Sarah. Un fuerte sentimiento se apoderó de ella. Aquellos días habían sido más que maravillosos porque no se habían parecido a nada que ella hubiera conocido nunca. Bastiaan no se parecía a ningún hombre que hubiera conocido con anterioridad.

«¿Y qué soy yo para él?».

No se podía borrar aquella pregunta de la cabeza. Cuando terminaron de almorzar, se marcharon en el potente y caro coche de Bastiaan para regresar a Cap Pierre. La pregunta la atravesaba como si fuera una flecha. Había asumido que un hombre como él estaría interesado tan solo en una aventura sofisticada, en un encuentro apasionado y sensual con una mujer como Sabine.

¿Seguía siendo eso lo que pensaba?

La respuesta le abrasaba el pensamiento.

«No quiero ser tan solo eso. No quiero ser tan solo Sabine para él. Quiero ser la persona que soy realmente. Quiero ser Sarah. ¿Seguiría interesado por mí si yo fuera Sarah?».

¿Acaso era la ardiente pasión, la intensidad del deseo lo único que deseaba? Bastiaan no había dicho nada aparte de que quería disfrutar del tiempo que compartieran, ni había hablado del tiempo que quería que lo suyo durara ni de lo que significaba para él. Nada en absoluto.

«¿Y si lo único que quiere de mí son estos pocos días?».

Tenía una sensación de pesadez en su interior. Miró a Bastiaan de reojo y vio que él se centraba en la carretera, que se hallaba más congestionada porque estaban acercándose a Niza. Sintió que le daba un vuelco el corazón al contemplar con avidez su fuerte e incisivo perfil. Entonces, experimentó una sensación desgarradora.

«No quiero dejarlo. No quiero que esto termine. Ha sido demasiado corto».

¿Y qué podía hacer al respecto? Nada. Su futuro estaba decidido y no incluía más tiempo al lado de Bastiaan.

Además, podría ser que él no quisiera estar más con ella. Tal vez él solo deseaba disfrutar de lo que tenían en aquellos momentos. Si fuera así, si lo único que él había querido desde el principio era una efímera relación con Sabine, entonces a ella no le quedaría más remedio que aceptarlo.

«Sabine podría aceptar una breve aventura como esta. Por lo tanto, debo seguir siendo Sabine».

Como Sarah, era demasiado vulnerable...

Respiró profundamente para animarse. El tiempo que podía pasar con Bastiaan aún no había terminado del todo. Les quedaba aquella noche. Una maravillosa noche más juntos...

Podría ser que se estuviera poniendo en lo peor. Tal vez él quería disfrutar de más tiempo a su lado.

Los pensamientos se precipitaron, presa de un sentimiento nacido en alas de la esperanza. Tal vez a él le encantaría saber que era en realidad Sarah. ¿Y si permanecía a su lado mientras ella se preparaba para el festival, compartiendo con ella el éxito o reconfortándola si fracasaba y tenía que aceptar que no sería jamás la cantante profesional que había soñado?

La voz de Bastiaan la sacó de sus pensamientos y la devolvió a la realidad.

–¿Quieres que paremos un rato en Niza? Hay tiendas muy buenas –le sugirió.

–No necesito nada –respondió ella. No quería perder el tiempo de compras. Quería regresar a la villa para estar a solas con Bastiaan y disfrutar de las pocas horas que les quedaban hasta que tuviera que marcharse.

–Pero sí seguramente muchas cosas que te gustan... –dijo él con una sonrisa.

Sarah soltó una carcajada. No estropearía el último día con él entristeciéndole.

–Claro. ¿A qué mujer no le ocurre eso?

Entonces, de repente, su tono de voz cambió. Había algo del mundo que Sarah había dejado a un lado que requería su atención. Una atención que debía dedicarle de forma inmediata.

–Ah, en realidad... ¿podríamos parar cinco minutos? Me he acordado de una cosa. Por aquí estará bien.

Bastiaan la miró. Estaba indicando una calle perpendicular a la que transitaban. Hizo girar el coche hacia donde ella le indicaba. Entonces, frunció el ceño. El nombre de la calle le resultaba familiar. Se preguntó por qué. ¿Dónde lo había visto recientemente?

Ella volvió a señalar.

–¡Justo ahí! –exclamó.

Bastiaan detuvo el coche al lado de la acera y miró hacia el lugar que ella señalaba. Un gélido escalofrío le recorrió la espalda.

–No tardaré nada –dijo ella mientras salía del coche. Tenía una expresión sonriente, alegre. Le saludó brevemente con la mano y entró precipitadamente en un edificio.

Era un banco. A Bastiaan se le había helado la sangre al reconocer de qué banco se trataba exactamente.

Era una sucursal del banco en el que se había ingresado el cheque que Philip había extendido por un valor de veinte mil euros...

Recordó inmediatamente el contenido del sobre que ella había abierto en su coche aquella mañana y cuyo contenido tanto placer le había causado. Otro cheque que estaba seguro que ella estaba ingresando en la misma cuenta.

Se le ocurrió una única palabra, que atravesó su consciencia con la fuerza de una daga que le desgarrara por dentro.

«Idiota».

Cerró los ojos y sintió cómo el frío congelaba cada célula de su cuerpo.

–¡Hecho! –exclamó Sarah con voz alegre cuando volvió a meterse en el coche.

Se alegraba de haber completado su tarea y de haberse acordado a tiempo. Sin embargo, lo que no le agradaba era tener que ocuparse de hacerlo todo ella. Dejar que la realidad se impusiera sobre ella, la realidad a la que tendría que enfrentarse a partir del día siguiente.

Sintió que el coche arrancaba y se volvió para mirar a Bastiaan. Él se había puesto unas gafas de sol mientras ella estaba en el banco y, tan solo durante un momento, sintió que Bastiaan era otra persona. Parecía preocupado, pero el tráfico de Niza era denso, por lo que Sarah decidió no hablar hasta que hubieran conseguido pasarlo y tomar la ruta hacia el este, hacia Cap Pierre.

–Me muero de ganas de bañarme en la piscina –dijo ella–. ¿Te apetece que nos bañemos desnudos en esta ocasión? –añadió mirándole de nuevo.

Había hablado en tono de broma. Quería verle sonreír, quería que la expresión de su rostro se aliviara. Sin embargo, Bastiaan no respondió. Tan solo sonrió brevemente, con gesto ausente. Entonces, se apartó de la principal ruta costera para tomar la carretera que llevaba hacia Pierre-les-Pins.

Sarah dejó que se concentrara en la carretera y sintió que su propio estado de ánimo se enturbiaba más y más a cada momento que pasaba. La expresión de él seguía siendo muy seria y no se produjo ninguna conversación. El ambiente era tenso. Como si él estuviera sintiendo lo mismo que ella...

¿Cómo podía ser? Bastiaan no sabía nada sobre lo que ella debía hacer al día siguiente. No sabía que debía marcharse ni conocía nada de la realidad a la que ella debía regresar.

La urgencia se apoderó de ella.

«Tengo que decírselo. Tengo que decirle que soy Sarah y no Sabine. Tengo que explicarle por qué...».

Debía hacerlo aquella noche. No le quedaba más remedio. Al día siguiente por la mañana debía regresar a los ensayos. ¿Cómo iba a ocultarle algo así? Aunque él quisiera estar con ella siendo Sarah, ella ya no podría seguir pasando tiempo con él. El festival estaba demasiado cerca y aún les quedaba mucho por hacer.

Un pensamiento más sombrío la asaltó. ¿Querría él pasar tiempo con ella, con Sarah o Sabine? ¿Y si para él aquel era el último día que quería pasar a su lado? ¿Y si estaba planeando decirle que habían terminado, que él se marchaba de Francia para volver a su vida en Grecia?

Los rasgos de Bastiaan estaban muy tensos. Tenía la mandíbula apretada y profundas arrugas alrededor de la boca. ¿Y si estaba pensando en cómo terminar con aquella aventura en aquel mismo instante?

El dolor que Sarah sentía en su interior se intensificó.

Mientras entraban en la casa, él le agarró la mano y le impidió que siguiera caminando. Sarah se detuvo y se giró para mirarlo. Bastiaan se quitó las gafas y las dejó sobre una mesa que había en el vestíbulo. Los ojos parecían arderle.

Al recibir la intensidad de aquella mirada, Sarah sintió que se le cortaba la respiración. Entonces, él la tomó entre sus brazos y la besó con ardiente y devoradora pasión.

Ella comenzó a arder como si fuera madera seca. Respondió ante el gesto de Bastiaan como si fuera gasolina arrojada sobre una fogata. El deseo se confundía con la desesperación. Y la desesperación con la alegría por verse deseada.

En pocos instantes llegaron al dormitorio, desnudándose, entrelazando las extremidades, acariciándose y gozando con la urgencia del deseo por verse satisfecho. En medio de una tormenta de sensaciones, Sarah alcanzó la cima del deseo y apretó las caderas para maximizar el modo en el que Bastiaan la había poseído.

El cuerpo de Bastiaan estaba cubierto con la pátina del ardor físico mientras ella le clavaba las uñas en los hombros cuando, una vez más, él le dio un placer aún más exquisito que el anterior. Sarah gritó de gozo, como si las sensaciones estuvieran empezando a resultarle insoportables, tan intenso fue el clímax que experimentó su cuerpo. El de Bastiaan fue igual de dramático. Su fuerte cuerpo se echó a temblar y levantó la cabeza con fuerza, con los ojos ciegos de pasión. Un nuevo espasmo de los cuerpos y, de repente, todo terminó, como cuando una tormenta se alejaba de una montaña después de descargar su lluvia sobre ella.

Estaba tumbada debajo de él, jadeando, agotada y

con el pensamiento completamente incoherente. Lo miró con los ojos abiertos de par en par, con una especie de asombro que no era capaz de comprender. La violenta unión, la urgencia de aquella posesión y de la respuesta que había provocado en ella le había resultado casi escandalosa. Un gozo físico que nunca antes había experimentado.

Sin embargo, en aquellos momentos, en aquellos instantes posteriores, que él la abrazara, que la estrechara contra su cuerpo, transformaba la pasión en confort y ternura. A pesar de que, cuando lo miró a los ojos, vio que aún tenía aquella mirada ciega en ellos.

¿Seguía aún atrapado allí, en aquella cima que habían alcanzado juntos, perdido en la tormenta física de su unión? Examinó sus rasgos para tratar de comprenderlo, para tratar de calmar el tumulto de su propio pecho, donde el corazón estaba empezando a recuperar sus latidos normales.

La confusión se apoderó de ella. De hecho, era algo más que confusión. Era la misma intranquilidad, la misma extraña sensación que se había apoderado de ella cuando regresaban de Niza. Quería que él dijera algo, lo que fuera. Quería que la abrazara, que la estrechara contra su cuerpo como siempre hacía para acallar los ecos de su pasión.

No fue así. No hizo nada. De repente, se apartó de ella y se levantó de la cama para dirigirse al cuarto de baño. Mientras la puerta se cerraba, Sarah se vio poseída por una dolorosa sensación de abandono. La intranquilidad se unió a su confusión. Se levantó de la cama y se tambaleó, dado que su cuerpo parecía estar aún sintiendo lo que había experimentado minutos antes. Aún llevaba el cabello recogido en una trenza, pero estaba muy revuelto. Con gesto ausente, se lo alisó con las manos, que le temblaban violentamente. Con el mismo tembloroso movimiento fue recogiendo las prendas que habían quedado por el suelo, enredadas con las de él.

Desde el cuarto de baño, se escuchó el sonido de la ducha. Nada más.

Ya vestida, Sarah se dirigió a la cocina. Se tomó un vaso de agua y trató de recuperar la tranquilidad. Le fue imposible. Lo que acababa de ocurrir entre ellos no era bueno. ¿Qué estaba ocurriendo?

«Va a terminar conmigo».

Era lo único que podía explicar el comportamiento de Bastiaan. Iba a terminar su relación y estaba tratando de encontrar el modo de hacerlo.

Estaba sumida en aquel revuelo de pensamientos cuando un estridente sonido la sacó de ellos. Su teléfono móvil sonaba en su bolso, que había quedado abandonado en el vestíbulo cuando Bastiaan la tomó entre sus brazos.

Con gesto ausente, lo sacó y vio que era Max. Dejó que la llamada pasara al buzón de voz. Miró ciegamente el teléfono mientras escuchaba su mensaje. Su voz sonaba estresada, bajo presión.

–Sarah, lo siento mucho. Necesito que esta noche vuelvas a ser Sabine. Ya no puedo seguir contentando a Raymond. ¿Vas a poder hacerlo? Lo siento mucho...

Sarah no le devolvió la llamada. No podía. Se limitó a enviarle un mensaje de texto. Breve pero suficiente.

Ok.

Sin embargo, no era así. Nada estaba bien.

Miró a su alrededor y vio un bloc de notas al lado del teléfono que había en la cocina. Se dirigió a él y arrancó una hora para escribir sobre ella. Luego, la colocó junto a la cafetera. A continuación, recogió el bolso y regresó un instante al dormitorio. La ropa de cama revuelta, las prendas de Bastiaan sobre el suelo... Todo era testimonio evidente de lo que había ocurrido allí hacía un tiempo.

Lo que parecía una eternidad.

No se veía a Bastiaan por ninguna parte. El agua de la ducha aún seguía corriendo. Tenía que marcharse. No podía soportar quedarse así, esperando a que Bastiaan le dijera que se había terminado todo entre ellos. Lentamente, con el dolor cubriéndola como una tela de araña, se dio la vuelta y se marchó.

Bastiaan cerró el grifo de la ducha y agarró una toalla para secarse. Tenía que regresar al dormitorio. No podía retrasarlo más. No quería volver a verla nunca más. Tenía que borrarla de su existencia.

«¿Cómo he podido creer que fuera inocente?».

Sabía muy bien la respuesta. Deseaba fervientemente que lo fuera.

Cerró los ojos presa de la ira. Delante de sus mismas narices, se había metido en aquel banco de Niza para cobrar el dinero que le había quitado a Philip, o a otro hombre. No importaba quién fuera. La misma sucursal de aquel banco. La misma. ¿Una coincidencia? ¿Cómo iba a serlo? Podría ser que aún conservara el sobre en el bolso, aunque hubiera ingresado ya el cheque. Esa podría ser la prueba que necesitaría...

Sintió un profundo odio por sí mismo. ¿Cómo podía haberse acostado con ella, haberla llevado a su cama sabiendo lo que aquella mujer era en realidad? La fuerza que lo había empujado a hacerlo era tan fuerte que no había podido contenerse. Deseaba poseerla una última vez....

Abrió la puerta del cuarto de baño y vio que ella ya no estaba en la cama. Sobre el colchón estaban tan solo las sábanas arrugadas. Y su ropa había desaparecido.

Un sentimiento se apoderó del repentino vacío que ocupó su cabeza, pero no supo interpretar de qué se trataba. Salió del dormitorio tan solo con la toalla alrededor de la cintura, preguntándose a dónde demonios se habría marchado.

Durante un instante, permaneció de pie en el vestíbulo, tras ver que el bolso ya no estaba. Ya no podría buscar el sobre en su interior. Se dirigió a la cocina. Vio que estaba vacía, pero no tardó en darse cuenta de que había una nota junto a la cafetera. La leyó con una tranquilidad pasmosa.

Bastiaan, hemos disfrutado de unos días inolvidables. Gracias por cada instante.

La nota iba firmada simplemente con una «*S*». Eso era todo.

La dejó caer sobre la encimera y se dio la vuelta para regresar al dormitorio. Ella le había abandonado. ¿Había sido la suma de dinero de aquel cheque suficiente como para permitirle hacerlo? Eso fue lo que hizo Leana. Cobró el cheque y se dirigió a su siguiente objetivo, riéndose del idiota al que había engañado y abandonado.

Tensó los labios. Las cosas eran muy diferentes en aquellos momentos. Sabine no sabía que él era el tutor de Philip, que sabía lo que ella había hecho y que podría averiguar fácilmente lo que ella estaba tramando. Aquella mujer no tenía razón alguna para creerse en peligro.

Se preguntó si estaba esperando quitarle más dinero a Philip. Echó mano de sus recuerdos. Recordó que Philip le había pedido que no controlara tanto su dinero antes de su cumpleaños y lo evasivo que se había mostrado cuando Bastiaan le preguntó para qué lo quería...

Con rostro entristecido, fue a por su ordenador portátil. Allí estaba, en su cuenta de correo electrónico. Una comunicación directa de unos de los directores de inversión de Philip que le pedía que Bastiaan autorizara las órdenes de Philip para liquidar un fondo en particular. La liquidación liberaría más de doscientos mil euros.

Doscientos mil euros. Suficiente para que Sabine no tuviera que volver a cantar en un club nocturno de segunda categoría.

Cerró el ordenador con fuerza. La furia se había apoderado de él. ¿Era eso sobre lo que Philip le había enviado un mensaje a aquella mujer? Bastiaan estaba seguro de que no se había equivocado en que era él el remitente. ¿Por eso se había mostrado ella tan contenta? ¿Por eso se había marchado sin despedirse, cambiando de nuevo de bando para ponerse en el de Philip?

La ira le rugía en el pecho. Eso no ocurriría jamás. ¡Nunca! Ella jamás regresaría con Philip. ¡Ardería en el infierno antes de hacerse con aquel dinero!

Esbozó una ligera sonrisa. Sabine Sablon se creía a salvo, pero no lo estaba. No lo estaba en absoluto y no tardaría demasiado en descubrirlo.

Capítulo 10

SARAH buscó su segunda pestaña postiza. Se la pegó como la primera con manos temblorosas. Sus movimientos eran automáticos, instintivos.

La tristeza se apoderó de ella. Su tiempo con Bastiaan había terminado. Habían sido unos días maravillosos. Vuelta a la realidad.

La realidad la había estado esperando. Max la había saludado con alivio y con una disculpa, además de con una noticia que alivió un poco la tristeza que la envolvía.

–Esta es tu última noche aquí. Raymond insistió en que te presentaras tan solo para esta noche porque es viernes y no puede estar sin cantante. Desde mañana, te sustituirá oficialmente, no por la verdadera Sabine, sino por otra persona que ha encontrado por fin. Después, gracias a Dios, podremos concentrarnos en lo importante. Nos han cedido un lugar para empezar los ensayos en el festival, así que nos podemos dirigir allí directamente.

Terminó de aplicarse el lápiz de labios con mano temblorosa y sintió que la esperanza se empezaba a abrir paso dentro de ella. Algo se negaba a morir en su interior. ¿Se había terminado lo suyo con Bastiaan? Tal vez no. Tal vez, Bastiaan no había tenido intención alguna de terminarlo todo. Tal vez ella lo había creído así innecesariamente. Tal vez en aquellos momentos la estaba echando de menos y se dirigía a buscarla...

¡No! No se podía permitir seguir pensando si Bastiaan había terminado con ella o no. No se podía permitir esperar y soñar que no hubiera sido así. No se podía permitir pensar en lo que tanto deseaba, vivir de nuevo, minuto a minuto, cada instante que había pasado con él.

«No me puedo permitir desearlo ni echarlo de menos».

Se miró en el espejo. Sabine era más extraña que nunca para ella en aquellos momentos. En ese momento, la puerta del camerino se abrió. Ella giró la cabeza y al ver la alta y corpulenta figura que ocupaba el umbral, su rostro se iluminó de alegría y alivio. ¡Bastiaan! Había ido a buscarla. ¡No quería terminar con ella! ¡Seguía deseándola! Sintió de nuevo alas en el corazón.

Sin embargo, al fijarse en la expresión de su rostro se quedó helada. Ocurría algo. Sus ojos. Su actitud. No se parecía al Bastiaan de antes. Aquel hombre no podía ser el Bastiaan que ella conocía...

–Tengo algo que decirte –declaró él con voz dura y hostil.

A Sarah comenzó a latirle con fuerza el corazón. La hostilidad irradiaba de aquella mirada, cayendo sobre ella como si fuera un golpe físico. ¿Qué ocurría? ¿Por qué la miraba de ese modo? No lo sabía.

La respuesta llegó un instante después. Una respuesta que le resultó incomprensible.

–De ahora en adelante, mantente alejada de Philip. Se ha terminado. ¿Me comprendes? ¡Se ha terminado! –le espetó con voz dura y acusadora.

–¿Philip? –preguntó ella sin comprender a qué se refería Bastiaan.

–¿Es que ya te has olvidado de él? Bueno, en ese caso... parece que mis esfuerzos no han sido en vano –añadió con un tono de voz muy diferente, que heló a Sarah por dentro–. Parece que he tenido éxito en distraerte... Tal y como era mi intención. Espero que no te hayas creído que mis... atenciones se debían a otro motivo que no fuera convencerte de que mi primo ya no te pertenece y que, por lo tanto, no puedes seguir manipulándolo.

Sarah lo miraba como si estuviera loco. No sabía qué hacer ni qué decir.

–No te hagas la inocente. Si crees que puedes seguir explotando la vulnerabilidad emocional que él siente hacia ti... estás muy equivocada.

La voz de Bastiaan resonó dura y desagradable, llena de veneno.

–Ya ves, tan solo tengo que decirle que has estado calentándome la cama durante los últimos días para que la atracción que siente hacia ti termine en un instante. Tu poder sobre él se extinguirá inmediatamente.

Sarah sentía que el aire que tenía en los pulmones le pesaba como el plomo. Cada una de las palabras de Bastiaan era como un golpe para ella. Torció el gesto.

–¿Estás diciendo...? –comenzó. Casi no podía pronunciar las palabras por el dolor que sentía, por el asombro que le había producido la declaración de Bastiaan–. ¿Estás diciendo que me sedujiste para... para separarme de Philip? –le preguntó por fin con incredulidad en la voz.

–Eso es precisamente –replicó él con gesto sardónico–. Por supuesto, ¿no creerás que me iba a quedar de brazos cruzados sin proteger a mi primo de una mujer de tu calaña?

–¿De mi calaña...?

–Mírate, Sabine. Una mujer de mundo. ¿No se dice así? Una mujer que utiliza sus *talentos*... –dijo, pronunciando con ironía la palabra– para progresar en el mundo. Si esos *talentos* –añadió intensificando la ironía– incluyen cazar a los hombres con tus encantos, te deseo buena suerte –concluyó con la voz afilada y dura como la hoja de un cuchillo–. A menos que pongas los ojos en un pipiolo vulnerable como es mi primo. En ese caso, solo te desearé la perdición. Y me aseguraré de que eso sea precisamente lo que te ocurra.

Su voz volvió a cambiar.

–Entonces, ¿entiendes la situación ahora? A partir de estos momentos, confórmate con la vida que tienes. Cantar canciones baratas y sórdidas en un club barato y sórdido –rugió. Los ojos le ardían como brasas mientras hablaba–. Una *chanteuse* de tres al cuarto con más cuerpo que voz. Eso es para lo único que vales. ¡Nada más!

Con una última mirada de desprecio y un gesto de odio en el rostro, Bastiaan se dio la vuelta y se marchó. Sarah escuchó cómo sus pasos se alejaban poco a poco, firmes y pesados.

Se había quedado boquiabierta y casi no podía respirar. Entonces, como si se le hubiera encendido un fusible, se levantó y salió por la puerta del camerino. Bastiaan ya estaba abandonando aquella sección por la puerta que conducía a la zona de espectadores. Al verlo, se dio la vuelta y se dirigió hacia el escenario.

Al ver a Max, lo agarró por el brazo y le obligó a mirarla.

Una ira como nunca había experimentado en toda su vida se había apoderado de ella. Empujó a Max hacia el piano y se colocó en su sitio, detrás del micrófono. En ese momento, le dijo a Max:

–Toca *Der Hölle Rache.*

Max la miró como si estuviera loca.

–¿Cómo has dicho?

–¡Te he dicho que la toques o me monto en el próximo avión a Londres!

Vio que Bastiaan estaba atravesando el espacio que había entre las mesas para dirigirse a la salida. La sala estaba llena, pero, en aquella ocasión, Sarah solo iba a cantar para una persona. Solo para una que ardería en el infierno.

Max miró hacia el lugar en el que ella tenía prendida la vista y su expresión cambió. Sarah vio que se preparaba para tocar. Segundos después, los dedos de Max comenzaron a volar sobre el teclado. Entonces, ella dio un paso al frente. Con toda la furia que la atenazaba por dentro, su voz de soprano explotó con toda su coloratura en la pequeña sala hasta encontrar a su objetivo.

Bastiaan estaba muy cerca de la puerta. Tenía que salir inmediatamente de allí, meterse en el coche y conducir lejos y rápido. Muy rápido. Había hecho lo que tenía que hacer. Había cumplido con su objetivo desde aquella tarde en Atenas, cuando su tía fue a verlo para suplicarle que salvara a su precioso hijo de las garras de una peligrosa *femme fatale*. Y eso había hecho.

En realidad, había salvado mucho más que tan solo a su primo. Se había salvado a sí mismo.

Decidió que no lo pensaría. No lo aceptaría. Tan solo tenía que marcharse de allí.

Alcanzó la puerta. Estaba a punto de empujarla con fuerza con la palma de la mano cuando, a sus espaldas, resonaron unas notas que lo obligaron a detenerse.

Se detuvo en seco.

Der Hölle Rache. La venganza del infierno. El aria para soprano más difícil que Mozart había compuesto. Resultaba diabólica por los agudos tan difíciles que tenía y por la furia del ritmo que imponía. Era un aria cuya música y letra ardía de rabia mientras la Reina de la Noche de *La flauta mágica* lanzaba veneno contra su amarga enemiga.

–¡La venganza del infierno arde en mi corazón!

Como si fuera un robot operando desde la distancia, Bastiaan se volvió contra su voluntad para mirarla. Era imposible. Imposible que aquella voz furiosa y poderosa estuviera saliendo de la figura que había sobre el escenario. Totalmente imposible.

Era imposible porque la figura que había sobre el escenario era Sabine. Sabine, con su vestido ceñido, con su cabello rubio de *femme fatale*, la de la voz sensual y profunda que cantaba canciones de cabaret.

No podía ser Sabine la que cantaba una de las piezas más exigentes del repertorio de la ópera.

Sin embargo, así era.

Como un robot, se dirigió hacia el escenario, casi sin darse cuenta de que los presentes observaban con la boca abierta aquel extraordinario cambio del repertorio habitual. Tampoco era consciente de que se estaba sentando a una mesa justo enfrente del escenario mirando con incredulidad a la mujer que cantaba a pocos metros de él.

La fuerza de aquella voz airada resonaba por encima de su cabeza. No había micrófono que amplificara su voz, pero estaba ahogando todos los sonidos que reinaban en la sala a excepción del piano que la acompañaba. Así de cerca, podía ver la furia incandescente que relucía en su rostro, en aquellos ojos refulgentes como esmeraldas. La miraba con asombro e incredulidad.

Entonces, cuando el aria alcanzó su clímax, vio que ella se bajaba del escenario y se dirigía hacia él. Vio que ella tomaba un cuchillo de entre los cubiertos que había sobre la mesa y que, con un grandioso ademán, lo clavaba sobre la mesa de un golpe mortal y acerado al terminar su interpretación, justo delante de él.

Los acordes finales aún resonaban en el local cuando ella se dio la vuelta y desapareció por la puerta que llevaba a los camerinos. En la mesa, delante de Bastiaan, se movía aún temblorosamente el cuchillo que había clavado sobre ella.

El silencio reinaba a su alrededor.

Lenta, muy lentamente, agarró el cuchillo por el mango. Le costó arrancarlo porque se había clavado con mucha fuerza. En ese momento, todos los espectadores parecieron salir de su estupor e irrumpieron en un tremendo aplauso.

Bastiaan echó a andar con la intención de seguirla, pero vio que el pianista se dirigía rápidamente hacia la puerta y le bloqueaba el paso.

–Yo no lo haría, ¿sabe? –le dijo el pianista.

Bastiaan lo miró fijamente.

–¿Qué demonios ha pasado? –le preguntó él. Aún le retumbaban los oídos con el poder de aquella voz tan increíble.

–Pues parece que, fuera lo que fuera lo que le dijo antes, a ella no le gustó.

–¡Es tan solo una cantante de club nocturno! –exclamó Bastiaan.

El pianista negó con la cabeza.

–No, no... En realidad, no lo es. Ya solo va a actuar aquí una noche más. La verdadera especialidad musical de Sarah es, tal y como acaba de escuchar, la ópera.

Bastiaan lo miró sin comprender.

–¿Sarah?

–Sarah Fareham. Ese es su nombre. Es británica. Su madre es francesa. La verdadera Sabine se largó, por lo que tuve que llegar a un acuerdo con el dueño del club para que me dejara ensayar aquí gratuitamente a cambio de que Sarah cantara por las noches. Sin embargo, ya han contratado a una nueva cantante, lo que es una suerte dado que mañana nos vamos al festival.

Bastiaan cada vez entendía menos lo que ocurría.

–¿Festival?

–Sí. El festival Provence en Voix. Nosotros, nuestra compañía, vamos a actuar allí con una ópera nueva que yo dirijo. Sarah es la soprano principal. Su papel es muy exigente... Solo espero que no se haya estropeado la voz cantando esa aria aquí. No sé por qué lo ha hecho... ¿Se le ocurre a usted?

Bastiaan entornó la mirada. No le gustaba el modo en el que le había hablado aquel hombre, pero aquello no era lo más importante en ese momento.

–Tengo que hablar con ella.

–No. Yo no lo haría –insistió Max–. Nunca antes la había visto tan enfadada.

–¿Lo sabe mi primo Philip?

–¿Lo de Sarah? Claro que sí. Su primo ha venido a todos los ensayos. Es un buen chico.

Bastiaan frunció el ceño. ¿Philip sabía que Sabine era en realidad Sarah? ¿Que estaba en una compañía de ópera? ¿Y por qué diablos no se lo había dicho? Repitió aquella pregunta en voz alta.

–No es de extrañar que Sarah se muestre algo reservada sobre lo de tener que aparecer como Sabine –respondió Max–. No le iría bien a su reputación en el mundo de la ópera si se supiera. Este festival es su oportunidad de oro. Lo es para todos nosotros –concluyó.

–Tengo que verla.

Empujó al pianista para pasar por el estrecho pasillo. La cabeza le daba vueltas tratando de comprender todo lo ocurrido. Recordó cómo la había buscado la primera noche que la vio y se le tensó el rostro. Mentiras. Todo habían sido mentiras.

La puerta de su camerino estaba cerrada, pero él la abrió de todos modos. Al notar que él entraba, Sarah se dio la vuelta de su tocador, en el que se estaba limpiando el maquillaje de la cara.

–¡Fuera! –le gritó ella.

Bastiaan se detuvo en seco. Nada de lo que había pensado que sabía sobre ella era cierto. Nada.

Ella volvió a gritarle.

–¡Ya me has oído! ¡Fuera! ¡Llévate tus falsas acusaciones y márchate de aquí!

–¿Por qué no me dijiste que no eras Sabine? –le preguntó Bastiaan.

–¿Y por qué no me dijiste tú que me considerabas una sórdida ramera que estaba tratando de seducir a tu maravilloso primo? –replicó ella sin dejar de gritarle.

–Por supuesto que no te iba a decir eso, ¿no te parece? Estaba tratando de separarte de él. Mira, Sabine...

–¡No soy Sabine!

Sarah agarró un cepillo del tocador y se lo lanzó. Este rebotó sin hacerle daño alguno en el hombro de Bastiaan.

–Yo no sabía que no eras Sabine. No me culpes por eso –dijo Bastiaan. Volvió a intentarlo otra vez utilizando su verdadero nombre–. Mira, Sarah...

–No te atrevas a pronunciar mi nombre. ¡No sabes nada sobre mí!

La expresión de Bastiaan cambió. Sí que había algo que sabía sobre ella. Tal vez fuera Sarah y no Sabine, pero no importaba.

–A excepción, por supuesto, del dinero –le dijo con voz gélida–. Del dinero de Philip.

Ella lo miró atónita.

–¿Del dinero?

Bastiaan soltó una carcajada. Fuera una cantante de ópera o de club nocturno, ¿por qué iba a ser diferente? Torció los labios. ¿Por qué Sarah iba a ser más escrupulosa que Sabine?

–Aceptaste veinte mil euros de la cuenta personal de mi primo –dijo él dejando que cada palabra cortara como un cuchillo–. Lo sé porque esta tarde ingresaste otro cheque en la misma cuenta en la que desaparecieron los veinte mil euros.

La expresión de ella iba cambiando mientras Bastiaan hablaba, pero él no le permitía que dijera nada. Nada en absoluto.

–Y esta tarde, después de que tú te marcharas de mi casa... qué conveniente, recibí una petición para liberar doscientos mil euros de los fondos de inversión de mi primo –la acusó él–. ¿Acaso no te percataste de que, como albacea de Philip, me entero de todo lo referente a sus finanzas? ¿Que él necesita mi aprobación para hacer efectiva esa cantidad de dinero? No servirá de nada que le cuentes cualquier historia que estés tramando. ¿Por eso te marchaste de mi cama esta mañana?

–Me marché porque esta noche tenía que aparecer como Sabine –repuso ella con un hilo de voz.

–Ahora, te voy a decir lo que va a pasar –declaró él–. Philip regresará a Atenas, a salvo de tus garras. Y tú, Sabine, Sarah o quienquiera que seas, devolverás los veinte mil euros que él te pagó.

Ella lo miraba fijamente. Sus ojos eran tan verdes y tan duros como las esmeraldas.

–No era mi cuenta bancaria –dijo.

Su voz carecía por completo de expresión, pero algo había cambiado en su rostro.

En ese momento, una voz resonó desde la puerta.

–No –afirmó la voz–. La cuenta era mía.

Capítulo 11

SARAH miró a Max, que estaba en la puerta.

–¿Qué diablos has hecho? –le preguntó.

Max no tuvo oportunidad de responder. Los ojos de Bastiaan lo atravesaron como un láser.

–¿Estás diciendo que la cuenta es tuya? Ella fue a ese banco esta tarde.

–A ingresar un cheque de tres mil euros que mi padre acababa de enviarme para ayudarme con los gastos de la ópera. Lo ingresé directamente en la cuenta de Max –dijo Sarah con incredulidad.

Ella miraba a Bastiaan, pero no había expresión en su rostro ni en su voz. Su mirada se centró entonces directamente en Max.

–¿Tomaste los veinte mil euros de Philip? –le preguntó ella con ira e incredulidad.

Max levantó las manos.

–Yo no se lo pedí, *cherie*. Él me lo ofreció.

–¿Mi primo te ofreció veinte mil euros? –quiso saber Bastiaan.

Max lo miró directamente.

–Él vio lo justos que estábamos de fondos... quería ayudar.

Bastiaan se volvió a mirar a Sarah.

–¿Y tú lo sabías?

Aquella pregunta la mordió como si fueran las fauces de un lobo. Sin embargo, fue Max el que respondió.

–Por supuesto que no lo sabía. Ella ya me había advertido que no me acercara a él.

–Y, sin embargo –repuso Bastiaan con una peligrosa emoción en la voz–, tú lo hiciste de todos modos.

–Ya te lo he dicho... Él me ofreció el dinero sin que yo se lo pidiera. ¿Por qué iba yo a negarme? –replicó con gesto desafiante y acusador–. ¿Acaso se supone que nos tenemos que morir de hambre en el arroyo para que el mundo disfrute de nuestro arte?

No obtuvo respuesta. El mundo, con o sin ópera, acababa de cambiar para Bastiaan.

Miró a Sarah. El rostro de ella era como el de una estatua. Algo cambió dentro de él. Algo que fue como una lanza que le atravesaba por dentro, pero la ignoró. Volvió a mirar a Max y, por último, a Sarah.

–¿Y los doscientos mil euros que mi primo quiere entregar ahora a un afortunado receptor? –preguntó.

–Si me los ofreciera, los aceptaría –dijo Max sin dudarlo–. Estarían bien gastados. Mucho mejor que los juguetes sin sentido en los que los hombres ricos gastan su dinero.

–Sin embargo –intervino Sarah–, eso es exactamente lo que Philip está planeando hacer.

Abrió el cajón de su tocador y sacó su teléfono. Entonces, buscó un mensaje y se lo mostró a Bastiaan.

–Este mensaje me lo mandó mientras íbamos a Saint Paul de Vence.

Bastiaan lo miró. Adjunto al mensaje había también una fotografía de un potente coche que acababan de lanzar y sobre el que Philip y él habían estado hablando durante la cena en Villeneuve.

El texto que lo acompañaba era muy sencillo.

¿No te parece que este sería un estupendo regalo que me podría hacer yo mismo para mi vigésimo primer cumpleaños? ¡Me muero de ganas!

En la siguiente línea se podía ver lo que ella había respondido.

¡Impresionante! ¿Qué le parece a Bastiaan? Pregúntale a él primero.

Sarah volvió a tomar la palabra.

–Tuve todo el tacto que pude. Siempre lo he tenido. No quiero hacerle daño, sea lo que sea lo que él sienta por mí, pero nunca quise animarlo. Y sobre esto tampoco –replicó con la misma voz hueca y distante–. Sé que no te gusta que tenga un coche tan potente siendo tan joven.

Bastiaan se sintió como si acabara de darse una ducha de agua helada. Philip no le había querido contar por qué quería el dinero...

No era para ella. Nada de ese dinero era para ella... Además, Sarah no era la persona que había creído que era en ningún aspecto posible. No era ni una cantante de club nocturno, ni una cazafortunas ni una amenaza en ningún sentido para Philip. Todas las acusaciones habían sido falsas.

Sarah se puso de pie. Tenía una expresión fría en el rostro.

–Es mejor que te vayas –dijo–. Mi actuación va a empezar pronto. Y permanece alejado de mí... Y vete al infierno.

Desde la puerta, Max trató de intervenir.

–Sarah...

Había incertidumbre en su voz. Cuando Sarah lo miró, se limitó a encogerse de hombros y se marchó. Ella miró a Bastiaan con el odio reflejado en los ojos. Odio en estado puro.

–Vete al infierno –repitió.

Sin embargo, no había necesidad alguna de decírselo porque Bastiaan ya se encontraba allí.

Se dio la vuelta y se marchó.

Sarah permaneció durante un largo tiempo inmóvil. Su cuerpo estaba tenso por los cables de la agonía y de la rabia. Entonces, se le llenaron los ojos de lágrimas. Lágrimas de furia y de tristeza.

Su tía lo observaba desde el otro lado del salón de su casa de Atenas. Bastiaan acababa de almorzar con ella y con Philip y, en aquellos momentos, como Philip se había marchado a estudiar y se encontraban solos, su tía lo estaba interrogando sobre su misión en la Riviera.

–Bastiaan, ¿me estás diciendo que esa mujer de Francia es una cantante de ópera y que no estaba tratando de cazar a Philip?

Él asintió.

–¡Eso es maravilloso! –exclamó su tía con expresión alegre. Entonces, pareció preocupada–. ¿Y crees que él, a pesar de todo, sigue enamorado de ella?

–No lo creo. No hace más que pensar en la invitación que le ha hecho Jean-Paul para irse al Caribe con su familia y con él. Además, parece que le gusta mucho la hermana de Jean-Paul. Precisamente, hoy es su cumpleaños.

El rostro de la madre de Philip se iluminó.

–¡Ah! Christine es una chica encantadora. Harían tan buena pareja... –suspiró mientras miraba a su sobrino–. Muchas gracias, Bastiaan. No sabes lo agradecida que te estoy por haberme tranquilizado sobre esa cantante y mi niño.

La mirada de Bastiaan quedó velada un instante. Entonces, se produjo una mirada fugaz que él ocultó rápidamente. Su expresión cambió.

–Sin embargo, he cometido un error –admitió. En realidad, habían sido más de uno–. Le dejé conducir mi coche a Philip mientras estábamos allí. Y ahora está decidido a comprarse uno propio.

El rostro de su tía se llenó de ansiedad.

–Bastiaan, por favor... impídeselo. ¡Se va a matar!

–No puedo impedírselo, ni tú tampoco. Está creciendo. Tiene que aprender a tener responsabilidad, pero... lo que sí puedo hacer es enseñarle a conducir un coche así con prudencia. Ese es el acuerdo al que hemos llegado.

–Bueno... –admitió ella resignada– si haces todo lo posible para mantenerlo a salvo...

–Lo haré –prometió Bastiaan.

Se levantó. Necesitaba marcharse de allí. Lo necesitaba desesperadamente. Se iba a marchar a su isla porque ansiaba estar solo. Ansiaba cualquier cosa que le impidiera pensar o sentir.

Mientras se dirigía hacia la puerta, Philip lo llamó desde su habitación.

–¡Bast! Vas a venir, ¿verdad? Me refiero a la premiere de Sarah. Sería genial que lo hicieras. Solo la has visto cantar como Sabine. A ella le encantaría que vieras lo que realmente se le da bien hacer. Estoy seguro de ello.

Bastiaan guardó silencio. Lo que a Sarah le gustaría sería ver su cabeza en una bandeja.

–Ya veré –respondió.

–Es a finales de la semana que viene –le recordó Philip.

Bastiaan sabía que no importaría que fuera al día siguiente o en el fin de la eternidad. Lo sabía por la constante negativa de ella a contestar a sus mensajes, sus correos o sus cartas. En todos ellos, le pedía, le suplicaba tan solo una cosa...

Aquel mismo deseo le acompañaba todos los días. Sin embargo, sabía que no había esperanza alguna. Daba igual que saliera a navegar, a nadar, a pasear, a emborracharse... No lograba olvidarla. Su lugar lo ocupaban tan solo tres palabras. Tres simples palabras. Tres palabras que eran como puñaladas en el vientre.

«La he perdido».

–¿Sarah?

Max habló con cautela. No era solo por el espinoso asunto de la generosidad de Philip o la inmediata disposición de Max a aceptar el dinero del joven griego. La estaba tratando con guantes de seda. Sarah deseó que no fuera así. Deseó que él volviera a ser el Max tirano y agresivo de siempre. Deseó que todo el mundo dejara de andar de puntillas a su alrededor.

Era su primer ensayo en el lugar en el que se iba a celebrar el festival, un pequeño pero hermoso teatro construido en los terrenos de un *château* en el norte de Provence. Agradecía, y mucho, estar lejos de la Riviera, del club nocturno. Lejos de todo lo que pudiera recordarle lo ocurrido allí.

No lo conseguía. Ni siquiera cuando cantaba. Todo se resumía en una única palabra. Dolor. Un dolor que soportarlo resultaba agónico y que era imposible de detener.

–¿Estás segura de que quieres empezar con esa aria? –le preguntó Max con cautela–. ¿No prefieres empezar con algo más sencillo?

–No.

Su tono de voz fue totalmente inexpresivo. Quería hacerlo así. Necesitaba hacerlo. El aria que le había resultado imposible cantar era la única que quería ensayar en aquellos momentos.

Se colocó y se preparó. Postura, garganta, músculos, respiración... Anton comenzó a tocar. Mientras permanecía inmóvil esperando la indicación para empezar, los pensamientos no dejaban de acompañarla llenos de dolor...

«¿Cómo era posible que no comprendiera esta aria? ¿Cómo pude pensar que era imposible creer en ello, creer en lo que ella siente y tiene que soportar?».

Llegó su momento. Max levantó la mano para guiarla a medida que la música llegaba a su punto álgido. Sarah dio un paso al frente sin ver a Max. Tan solo veía su dolor.

Y de ese dolor salió el dolor de la novia de la guerra. Su voz angustiada tratando de llegar al mundo con el dolor de las esperanzas destruidas, de la felicidad extinta y del futuro sin esperanza. La futilidad, la pérdida, el valor, el sacrificio, la tristeza de la guerra... Todo en una única voz. La voz de Sarah.

Cuando su voz calló por fin, Anton levantó las manos del teclado. Entonces, se puso de pie y se acercó a ella. Le tomó las manos y se las besó.

–Has cantado lo que he escrito –dijo con la voz llena de sentimiento. No dijo nada más. No era necesario.

Sarah cerró los ojos. En el interior de su cabeza, recordó la letra del aria. Palabras fieras. Penetrantes.

«Esto es lo único que tengo y será suficiente. ¡Será suficiente!».

Sin embargo, en lo más profundo de su pensamiento, tan solo podía escuchar una única palabra. Y estaba burlándose de ella.

«Mentirosa».

Bastiaan tomó asiento. Estaba en el gallinero. Nunca antes se había sentado tan lejos ni tan alto, en un asiento tan barato. Sin embargo, necesitaba ir a un sitio en el que Philip, que ocupaba uno de los palcos, no pudiera verlo.

Le había dicho a su primo que, lamentablemente, no podía asistir a la premiere de *La novia de la guerra*. Había mentido. Lo que no quería era que Philip le dijera a Sarah que él iba a estar presente.

No se lo habría perdido por nada del mundo. Una profunda emoción se apoderó de él al mirar hacia abajo. En algún lugar detrás de aquel pesado telón estaba ella. La urgencia ardía dentro de él. Sarah había bloqueado todos sus intentos por comunicarse con ella.

De hecho, incluso Max se había negado a ayudarle. Por lo tanto, se había mantenido alejado. Hasta aquel momento.

«Esta noche... esta noche tengo que hablar con ella».

Cuando las luces se apagaron y los espectadores guardaron silencio, sintió que se le nublaba la visión. Comenzó a ver imágenes que lo atormentaban y lo seducían.

Sabine, con los ojos brillándole de pasión, mirándolo mientras hacían el amor. Sabine sonriendo, riéndose y agarrándole la mano. Sabine, siendo simplemente ella. Hora a hora. Día a día. Mientras comían, nadaban, tomaban el sol o miraban las estrellas.

Sabine... tan hermosa y tan maravillosa...

«Hasta que yo lo estropeé todo».

Había dejado que el miedo y la sospecha envenenaran todo lo que había entre ellos. Lo había estropeado todo.

«No sabía lo que tenía hasta que lo perdí».

¿Podría recuperarlo? ¿Podría recuperarla a ella?

Tenía que intentarlo. Al menos, tenía que intentarlo.

–Bueno, Sarah. Ha llegado el momento –le decía Max mientras le masajeaba suavemente los hombros–. Puedes hacerlo. Sabes que puedes hacerlo.

Ella no era capaz de responder. Solo era capaz de esperar mientras Max hablaba con los otros para darles ánimos y tranquilizarlos. Tenía un aspecto impecable, con un chaqué blanco, pero se le notaba la tensión en cada línea de su cuerpo.

Sarah oyó que los espectadores comenzaban a aplaudir cuando los músicos dejaron de afinar y Max, que iba a dirigirlos aquella noche, se subió al podio. Ella trató de respirar, pero no era capaz. Quería morirse, lo que fuera para tratar de evitar lo que iba a tener que hacer. Llevaba toda su vida preparándose para ello. Llevaba toda su vida trabajando para ello, sin permitir que nada más reclamara un minuto de su tiempo ni de su concentración.

Trató de no pensar en el hombre que tanto daño le había hecho. El más despreciable de todos los hombres, que había sido capaz de juzgarla y condenarla mientras...

No había permitido que aquella clase de pensamientos entraran en su cabeza. Los había mantenido a todos a raya, junto con los mensajes que había borrado sin leer ni escuchar. De ese modo, le decía claramente que se marchara al infierno y permaneciera allí. No quería volver a tener contacto alguno con él.

Lo único importante de su vida era su voz. Su voz y su trabajo. Había trabajado mucho para conseguirlo y, por fin, había llegado el momento. Y ella se quería morir.

Por fin, la música comenzó a sonar. Max empezó con la obertura. Sarah estaba tan nerviosa que se sentía a punto de desmayarse. Sin embargo, poco a poco, la música, que conocía a la perfección, comenzó a penetrar en su cuerpo. El telón se alzó. El coro comenzó su canto, una invocación a la paz cuando las nubes de la guerra empezaban a reunirse en el horizonte. Entonces, las luces del escenario cambiaron. Max levantó la batuta para indicarle que había llegado su turno. Ella fijó la mirada en él y respiró.

Su voz resonó en el auditorio, alta, pura y potente. En aquel momento, le pareció que no existía nada más que su voz en todo el universo.

Oculto en el gallinero, Bastiaan permaneció inmóvil escuchándola cantar. El puñal que le parecía sentir en el vientre se le retorcía con cada nota que ella entonaba.

Durante toda la ópera, le resultó imposible mover ni un solo músculo. Todo su ser estaba pendiente de la esbelta figura que ocupaba el escenario. Su expresión solo cambió en una ocasión. Fue durante la desgarradora aria en la que lloraba la muerte de su esposo, en la que expresaba la agonía de la pérdida en cada nota. Sus ojos se ensombrecieron. La emotividad de la música, de la clara y potente voz, le llegaron muy adentro.

Cuando su voz se desvaneció, las luces del escenario lo hicieron también, hasta que tan solo quedó un foco sobre ella. Ese foco también se apagó, dejando que el coro cerrara la intemporal tragedia con un canto de duelo por las vidas que se perderían en conflictos futuros. Por fin, el silencio y la oscuridad se adueñaron por completo del auditorio.

Durante un instante, todos los espectadores quedaron en silencio. Entonces, comenzaron los aplausos. No se detuvieron cuando las luces volvieron a encenderse y aparecieron todos los cantantes. Por último, Sarah y el resto de los solistas aparecieron en el escenario. El aplauso se intensificó y todo el mundo se puso de pie. Cuando Max salió al escenario con Anton a su lado, los dos tomaron a Sarah de la mano y la llevaron hacia la parte delantera del escenario para que pudiera recibir unos aplausos que iban en aumento.

A Bastiaan le dolían las manos de tanto aplaudir. Solo tenía ojos para ella. Para Sarah. En aquellos momentos, ella soltó la mano de Max para llamar al tenor y a los otros solistas para que compartieran con ellos la ovación. Por último, se reunieron con los demás cantantes y todos juntos disfrutaron de los aplausos mientras los miembros de la orquesta realizaban profundas reverencias.

Bastiaan podía ver la expresión del rostro de ella,

bello y transfigurado. No se pudo quedar más tiempo. Se levantó del asiento y salió al exterior. El corazón le latía con fuerza, pero no por el ejercicio de bajar tantas escaleras. Con decisión, se dirigió hacia la puerta del escenario y se acercó al portero que allí estaba.

–Esto es para Max Defarge. Encárguese de que lo reciba esta misma noche –le dijo.

Le entregó el sobre blanco que se había sacado del bolsillo interior de la americana junto con un billete de cien euros. Quería asegurarse de que se cumplían sus instrucciones. Entonces, se marchó.

Había pensado en ir al camerino. No podía hacerlo. ¿En qué había estado pensando? ¿Que podría entrar allí tal y como lo había hecho la primera noche que la escuchó cantar?

No. En aquella ocasión, vio a Sabine. No a Sarah.

De hecho, Sarah distaba tanto de Sabine como Bastiaan estaba de las estrellas del cielo. Volvió a notar cómo el puñal se le retorcía en el vientre y sintió la ironía de aquella situación como ácido en las venas. Que añorara en aquellos momentos precisamente a la mujer que había arrojado de su vida, a la que había despreciado y destruido.

Su teléfono móvil comenzó a vibrar. Lo sacó y vio que era un mensaje de Philip.

Bast, ¡te has perdido algo sensacional! Sarah ha estado sublime y los espectadores se han vuelto locos con su actuación. Es una pena que no estés aquí. Me voy a quedar a la fiesta que se celebrará en cuanto los espectadores se marchen. ¡Me muero de ganas por darle un abrazo!

Bastiaan no respondió. Se limitó a guardarse el teléfono. El corazón le pesaba como si fuera de plomo.

Capítulo 12

SARAH se sentía como si estuviera flotando al menos a veinte centímetros del suelo. El champán que Max había comprado contribuía a ello, pero, principalmente, se debía a la adrenalina, al alivio y a la gratitud por haber realizado la mejor actuación de su vida.

Todos estaban muy contentos. Los besos, los abrazos, las lágrimas, las risas y la alegría les impedían caer en el agotamiento que su esfuerzo les había producido. Sin embargo, a nadie le preocupaba el cansancio en aquellos momentos. Solo el triunfo.

–¿Estoy soñando esto? –les gritó a sus padres cuando ellos la abrazaron con fuerza. El rostro de su madre estaba húmedo por las lágrimas y el de su padre relucía de orgullo.

La mano de su madre le apretó la suya.

–Sea quien sea, cariño mío, el hombre sobre el que has cantado no te merece –le dijo con la voz llena de compasión y preocupación.

Sarah no pudo mirar a su madre a los ojos.

Ella sonrió tristemente.

–Lo he oído en tu voz. No estabas cantando la pérdida de tu soldado. Para ti era real, cariño mío. Completamente real.

Sarah trató de negar con la cabeza, pero no lo consiguió. Dio gracias por que Max la tuviera en aquellos momentos entre sus brazos, por millonésima vez, y que la estuviera llevando hacia un lado. Cuando encontró un lugar más tranquilo en el vestíbulo, que era donde se estaba celebrando la fiesta, dijo:

–Me acaban de dar esto.

Su voz era neutra. Demasiado. Del bolsillo, se sacó un trozo de papel doblado y lo abrió antes de entregárselo a Sarah. Ella lo tomó con una cierta sensación de asombro. Entonces, la expresión de su rostro cambió.

–Me alegro por ti –dijo con voz tensa. No pudo decir otra cosa. Entonces, le devolvió el papel a Max.

–¿Y por ti? –le preguntó Max frunciendo el ceño. Su voz denotaba preocupación.

Ella negó con la cabeza y se apartó de él. Volvió a la vorágine de la fiesta. Tomó una copa de champán y empezó a recibir nuevos besos y abrazos. De repente, un fuerte abrazo la inmovilizó.

–Oh, Sarah... Sarah... Has estado genial. ¡Brillante! ¡Todos habéis estado maravillosos!

Era Philip. El dulce y encantador Philip. Su rostro estaba iluminado de placer al verla. Ella le devolvió el abrazo. Se alegraba mucho de verlo. Sin embargo, automáticamente y con cierto miedo, miró más allá. Había otro sentimiento reflejado en sus ojos, uno que no quería experimentar, pero que sintió de todos modos.

Ese sentimiento murió en cuanto Philip volvió a tomar la palabra.

–Me habría gustado que Bastiaan hubiera podido estar aquí. Le dije que quería de verdad que te escuchara cantar lo que verdaderamente sabes, no esa basura de las canciones de Sabine.

–Gracias por tu lealtad y por tu apoyo. Significa mucho para mí –afirmó Sarah con sinceridad–. Una cosa, Philip –añadió con voz seria–. Escúchame. No permitas que tipos de la clase de Max te quiten dinero. No me gustó lo que hizo.

–Yo quería ayudar.

Durante un segundo, solo un segundo, los ojos de Sarah se ensombrecieron de dolor. La «ayuda» de Philip le había hecho a ella pagar un precio muy alto. Un precio que aún seguía pagando y que seguramente pagaría a lo largo de toda su vida.

–Y lo hiciste –afirmó ella–. Todos te estamos muy agradecidos porque nos has ayudado mucho a que todo esto sea posible –añadió señalando la felicidad que los rodeaba.

–¡Genial entonces! –exclamó Philip, sonriendo. Se sentía más aliviado y más tranquilo.

Sarah también lo estaba. Resultaba evidente que Philip ya no seguía prendado de ella. Ya no existía el anhelo de antaño en sus ojos. Solo amistad.

–A todos nos gustó mucho tu presencia y tu apoyo, con o sin esa enorme donación. Otra cosa, Philip. Ese coche que te quieres comprar... Ten cuidado. ¡No te estrelles con él!

–No lo haré –prometió Philip–. Bast me está enseñando a conducirlo con seguridad –le dijo. Entonces, le lanzó un beso con la mano y se marchó–. Un día te llevaré a la entrada de artistas de la Royal Opera House de Covent Garden en mi coche... ya lo verás.

–Te tomo la palabra –dijo ella con afecto.

Sarah se dio la vuelta. Covent Garden... ¿Llegaría algún día a actuar allí? Un fuerte sentimiento se apoderó de ella. Tenía que conseguirlo. A partir de aquel momento, debía preocuparse tan solo del trabajo. Ya no había lugar para las distracciones.

«Mi trabajo será suficiente. Lo prometo».

Aquello era lo único que debía tener en cuenta. Lo único que tenía que creer.

Aunque fuera mentira...

Una hora más tarde, ya había tenido bastante celebración. El agotamiento que había tratado de contener iba apoderándose poco a poco de ella.

Sarah se sirvió un gran vaso de agua y descubrió que sus pasos se dirigían hacia la puerta. El aire fresco de la noche la llamaba. Frente al teatro, había un estanque al final de un sendero que atravesaba el césped. El estanque tenía unas suaves luces acuáticas y un pequeño surtidor. No pudo evitar dirigirse hacia allí.

La alegría había desaparecido no solo por el agotamiento, sino por un nuevo estado de ánimo. Ver a Philip no la había ayudado. Tampoco lo que Max le había revelado. Los dos habían sido dolorosos recordatorios del hombre que, en aquellos momentos, tan solo deseaba olvidar sin conseguirlo.

Llegó al estanque y deslizó los dedos por el agua. Se dejó llevar por los recuerdos... El sol relucía sobre la piscina. Bastiaan se sumergió en ella. Su torso relucía con las gotas de agua, brillantes como diamantes. El brazo de él ciñéndole la cintura mientras dirigía la lancha hacia el dorado sol del atardecer. Sus ojos mirándola con ardiente pasión y deseo. Su boca acercándose a la de Sarah...

Nada de eso había significado nada, absolutamente nada para él. Todo había sido falso. Completamente falso. Una amarga ironía se despertó dentro de ella.

El dolor volvió a apoderarse de ella. Descubrió demasiado tarde lo que ella significaba para Bastiaan, lo único que había sido desde el principio a pesar de los besos, de las caricias y de los momentos compartidos. Descubrió que había perdido lo que nunca había tenido.

Volvió a sentir el nudo en la garganta, pero lo obligó de nuevo a desaparecer. No lloraría. No derramaría ni una sola lágrima. Apartó la mano del agua y se alejó del estanque.

Entonces, se encontró frente a frente con Bastiaan.

Caminó hacia ella. Era incapaz de sentir nada, pero se dirigió hacia ella de todos modos. Sarah estaba de pie junto al estanque, elegante y muy hermosa. Llevaba el cabello recogido en la nuca y el esbelto cuerpo enfundado en un vestido de noche de gasa verde claro.

No podía apartar los ojos de ella. Un intenso sentimiento se apoderó de él y le empujó a hacer lo que más deseaba: tomarla entre sus brazos. Sin embargo, no se atrevió a hacerlo. Todo dependía de lo que ocurriera en aquel momento. Solo tenía una oportunidad. Solo una. Y debía aprovecharla.

No había podido hacerlo durante la fiesta, cuando ella estaba disfrutando de su momento de triunfo en el arte. Sin embargo, en aquellos momentos, cuando se encontraba allí sola, debía armarse de valor. Reclamar lo que había perdido.

Cuando se acercó a Sarah, ella se dio la vuelta y levantó la barbilla. Su rostro era como una máscara.

–¿Qué estás haciendo aquí? Philip me dijo que no estabas aquí. ¿Por qué has venido?

Sus palabras eran frías. Sus ojos también, a pesar de la tenue luz que los iluminaba.

–Debes saber por qué estoy aquí –dijo él. Su voz era baja. Intensa.

–No. No lo sé –replicó. Aún fría. Aún con la máscara en el rostro–. ¿Es para ver si estoy impresionada por lo que has hecho por Max? ¿Un patrocinio tan generoso? ¿Es ese tu modo de disculparte por las terribles acusaciones que lanzaste contra mí?

Bastiaan negó brevemente con la cabeza. Cuando se disponía a hablar, ella le tomó la delantera.

–Bien. Si quieres patrocinarle, tienes dinero de sobra, ¿verdad? Yo no quiero tu dinero, igual que no quería el de Philip –dijo respirando profundamente–. Igual que tampoco quiero tener nada que ver contigo.

–Solo te pido cinco minutos de tu tiempo... Sarah.

Ella no se movió. Bastiaan decidió pensar que le daba su consentimiento.

–Por favor... te ruego que comprendas las razones de mi comportamiento.

Respiró profundamente para ordenar sus pensamientos. Era vital, crucial, que aquello le saliera bien. Solo tenía una oportunidad. Solo una.

–Cuando el padre de Philip murió, le prometí a su madre que siempre cuidaría de él. Sabía bien que era fácil aprovecharse de él y que se convertiría en un objetivo para personas sin muchos escrúpulos.

Vio que el rostro de Sarah se tensaba. Comprendió que estaba pensando en Max y en lo que había hecho, a pesar de ser para una noble causa.

Siguió hablando.

–En especial, para las mujeres –añadió.

–Para las cazafortunas –dijo ella. No había expresión alguna en su rostro.

–Sí. Un cliché, pero verdadero a pesar de todo.

Bastiaan frunció el ceño. Tenía que hacer que Sarah comprendiera cuál había sido el peligro. Lo real que este podría haber sido si ella hubiera sido realmente la mujer que creía que era.

–Lo sé –prosiguió con una triste expresión en el rostro–, porque, cuando era poco mayor que Philip, como él, yo tampoco tenía padre que me enseñara. Y como podría haberle pasado a él, una mujer me engañó y me dejó en ridículo.

Le pareció ver un cambio de expresión en los ojos de Sarah. No sabía. Decidió seguir hablando.

–Por eso, cuando vi que habían desaparecido veinte mil euros de la cuenta de Philip para ingresarse en una cuenta desconocida de Niza, cuando Paulette me contó que Philip se pasaba la vida en un club nocturno y que, evidentemente, estaba emcaprichado de alguien, las alarmas comenzaron a sonar. Supe el peligro que corría.

–Y por eso hiciste lo que hiciste. Lo sé. Yo estaba al otro lado.

Había amargura en su voz. Y acusación. Sarah estaba harta. ¿De qué servía todo aquello? De nada. Además, para ella era un infierno estar tan cerca de él...tan cerca. Y tan distante al mismo tiempo. ¿Cómo iba a ser si no?

Se obligó a pronunciar las palabras que lo demostraban.

–Lo entiendo todo perfectamente, Bastiaan. Me sedujiste a mí para salvaguardar a Philip. Esa fue la única razón –le espetó mientras hacía ademán de marcharse.

–No.

Aquella única palabra rasgó el aire y le impidió seguir moviéndose.

–No –repitió él. Dio un paso hacia Sarah–. No fue la única razón.

La vehemencia con la que habló la hizo detenerse. Los ojos de él tenían una expresión ardiente. Ardían con una intensidad que ella nunca había visto antes.

–Desde el momento en el que te vi, te deseé. No me pude resistir a pesar de que creía que eras Sabine y que tan solo buscabas aprovecharte de mi primo. Porque pensaba que eso me daba... una justificación para hacer lo que quería hacer desde el principio –dijo respirando profundamente–. Quería disfrutar del deseo que sentía hacia ti. Un deseo que tú correspondías. Lo veía en cada mirada que me dedicabas. Sabía que me deseabas.

–Y tú me utilizaste para tus propios fines –replicó ella. La amargura volvía a reflejársele en la voz.

Bastiaan pareció acobardarse, pero entonces extendió la mano para agarrarle la muñeca y detenerla. Estaba desesperado porque ella oyera lo que debía decirle.

–Lamento todo lo que hice, Sarah –dijo con dificultad. Le costaba no utilizar el nombre que había usado para llamarla cuando la tenía entre sus brazos–. Todo. Sin embargo, no me arrepiento del tiempo que pasamos juntos.

Sarah trató de apartarse de él.

–Todo fue una farsa, Bastiaan. Todo –le espetó con dureza.

–¿Una farsa? –repitió él. Algo había cambiado en su voz. En sus ojos. Aflojó los dedos con los que le tenía agarrada la muñeca–. ¿Una farsa?

Sarah escuchó un timbre en su voz que ya había escuchado antes en cientos de ocasiones. Sintió que un susurro le recorría el cuerpo, tan sutil como el roce del viento en el cabello. Tan delicado como la brisa de verano.

–¿Fue esto una farsa? –insistió.

Sarah estaba muy cerca de él, tanto que tuvo que echar la cabeza hacia atrás. Olía el aroma de su cuerpo y notaba la calidez que emanaba de él. Sintió que se veía obligada a cerrar los ojos. Inmediatamente, Bastiaan comenzó a besarla. La suavidad de sus labios fue un homenaje, una invocación.

La estrechaba contra su cuerpo todo lo que podía. Le había colocado la mano sobre la nuca para profundizar el beso.

El gozo se apoderó de ella, fundiendo sus dudas y

disolviendo la tristeza. Hizo desaparecer el nudo de dolor e ira que tenía en lo más profundo de su ser. Bastiaan apartó los ojos de los de ella, pero no la mirada.

–Perdóname. Te suplico que me perdones –susurró con voz profunda–. Me he portado mal contigo. Te he tratado fatal. Sin embargo, cuando realicé esas acusaciones contra ti, me estaban haciendo mucho daño. Tras pasar esos días contigo, todo se transformó en mi vida. Y entonces, el último día...

Bastiaan cerró los ojos, como si quisiera olvidar aquel recuerdo en particular antes de obligarse a seguir contando lo ocurrido, a confesarle a Sarah todo lo que le había turbado.

–Me creí engañado... ¿Cómo podías ser esa mujer que yo había temido que fueras cuando lo que había entre nosotros era... era tan maravilloso?

Bajó la voz hasta convertirla en un susurro.

–Creí todos mis temores. Y me creí lo peor de todo. Que no eras la mujer que tanto había deseado que fueras...

La miró. Aún tenía la mano sobre la nuca de Sarah y le agarraba la cabeza. La miraba con los ojos llenos de elocuencia y significado. De sus labios salieron por fin las palabras que había ido hasta allí para decir.

–La mujer que amo, sea Sabine o Sarah, eres tú. Tú eres la mujer que amo –repitió–. Solo tú.

Sarah escuchó las palabras y les permitió que le llegaran hasta el corazón, un corazón que se le estaba hinchiendo en el pecho como si, de repente, se fuera a convertir en todo su ser, en todo lo que ella era y en todo lo que podría llegar a ser.

Apretó la mano contra el fuerte torso de Bastiaan y gozó al sentir cómo los dedos notaban los poderosos músculos que se extendían debajo de la camisa. Sintió el calor de su cuerpo y los latidos del corazón contra la palma de la mano.

El asombro se adueñó de ella. El alma se le limpió de todo lo que había sentido hasta entonces, de la ira y del dolor, de la furia y el sufrimiento. No dejó nada más que una felicidad en estado puro.

Lo miró y su rostro se transformó. Bastiaan sintió que el corazón le daba un vuelco en el pecho. La alegría era total.

–Me pareció imposible... –murmuró ella–. Imposible que en cuestión de unos pocos días me hubiera podido enamorar. ¿Cómo podía ocurrir tan rápido? Sin embargo, era cierto. Me dolió tanto, Bastiaan, que tú pensaras tan mal de mí después de lo que habíamos vivido juntos.

–En el momento en el que supe... ese momento infernal cuando comprendí que todo lo que había temido sobre ti, que todo de lo que te había acusado era falso... completamente falso... supe que había destruido todo lo que había entre nosotros. Tú me echaste de tu vida y no pude hacer otra cosa que marcharme, aceptar que no querías nada conmigo. Debía dejarte seguir preparándote para lo que ha ocurrido esta noche sin molestarte.

Su voz cambió cuando volvió a tomar la palabra.

–Sin embargo, esta noche no pude seguir guardando silencio. Me decidí a encontrarte... a enfrentarme a ti, pero guardé todo lo que sentía. Tenía demasiado... miedo de hablar contigo. Sin embargo, lo que has conseguido esta noche, y lo que va a suponer para ti a partir de ahora... ¿Crees que habrá sitio para mí? ¿Podré estar a tu lado?

–¡Bastiaan! –exclamó ella–. ¿Es que no lo ves? Es por lo que siento, porque ahora sé lo que es el amor, por lo que he podido conseguir lo que he conseguido esta noche... y formará parte de mí para siempre.

Sarah dio un paso atrás.

–Esa aria que he cantado, en la que la novia de la guerra sufre por la muerte de su esposo... –susurró mientras lo miraba con el corazón entero reflejado en los ojos–. Ella canta por el amor que ha perdido, un amor que ardió brevemente y que desapareció para siempre. No podía cantarlo. No lo comprendí hasta que...

Bastiaan la tomó entre sus brazos y la estrechó con fuerza contra su cuerpo.

–Amada mía, te aseguro que nunca más te volverás a sentir así. Sean cuales sean las lecciones de amor que aprendas de mí, serán solo felices a partir de ahora. Solo felices.

Sarah sintió que se le llenaban los ojos de lágrimas y que empezaban a humedecer sus pestañas como si fueran diamantes. Bastiaan era suyo... ¡Su Bastiaan! Después de tanto tormento, el gozo absoluto. Después de tanto miedo, la confianza total. Después de la ira, un amor incomparable...

Levantó el rostro hacia el de él y buscó sus labios. Los encontró y vertió en sus besos todos los sentimientos que albergaba en su corazón, todo lo que ella era y todo lo que sería siempre.

Un eterno dueto de amor que los dos entonarían juntos hasta el final de sus días.

Epílogo

SARAH estaba tumbada sobre la arena de la playa mirando las estrellas que relucían como una tiara celestial por encima de su cabeza. No se escuchaba sonido alguno más que el murmullo de las olas y el canto nocturno de las cigarras entre las plantas del jardín que quedaba a sus espaldas. Su corazón también estaba cantando. Cantaba de alegría, de una felicidad tan sincera y tan profunda que casi no se podía creer que le perteneciera.

–¿Te acuerdas de cómo mirábamos las estrellas junto a la piscina de mi casa de Cap Pierre? –le preguntó una voz profunda a su lado.

Ella le apretó la mano que tenía entre la suya. Los dos estaban tumbados el uno junto al otro, con los ojos observando la eternidad, que parecía relucir en el cielo griego.

–¿Fue entonces cuando me empecé a enamorar de ti? –susurró ella.

–¿Y yo de ti?

Sarah apretó la mano de él con la suya. El amor había ocurrido tan rápidamente... No se había imaginado que algo así fuera posible. Y el dolor experimentado después...

«Sin embargo, el dolor que sentí era prueba de amor. Me mostró lo que sentía mi propio corazón».

El dolor había desaparecido ya para siempre. En aquellos momentos, allí con Bastiaan, tumbados el uno junto al otro en la primera noche de su vida en común, estaban sellando su amor para siempre. Él le había preguntado dónde quería pasar su luna de miel, pero Sarah había visto en los ojos de Bastiaan que él ya sabía dónde quería que fueran.

–Siempre dije que traería a mi esposa a esta isla –le dijo él–. Que ella sería la única mujer que yo querría aquí conmigo.

Sarah se llevó la mano de él a los labios y le rozó los nudillos con un beso.

–También dije siempre –añadió Bastiaan, con voz triste y apenada–, que sabría quién sería esa mujer en el momento en el que la viera.

Ella se echó a reír. Por fin podía hacerlo. Todo el dolor había desaparecido ya hacía tiempo.

–¡Qué ciego fui! ¡Estaba ciego a todo lo que tú realmente representabas! Excepto...

Bastiaan se apoyó sobre un codo y se giró hacia ella para mirarla. Su adorada Sarah, su amada esposa para todos los años venideros.

–Excepto el deseo que sentía por ti –concluyó.

Los ojos le ardían de deseo. Ella sintió que el pulso se le aceleraba en las venas, como le ocurría siempre cuando Bastiaan la miraba de ese modo. Sintió que los huesos se le deshacían y que se mezclaban con la arena que había debajo de ella.

–¡Eso era lo único cierto y real! Te deseaba entonces y te deseo ahora. Eso nunca terminará, mi hermosa y adorada Sarah...

Siguió mirándola de aquel modo durante un instante más. Entonces, su boca comenzó a saborear la de ella. Sarah tiró de él y la pasión prendió y ardió entre ambos.

De repente, Sarah le impidió que siguiera.

–Bastiaan Karavalas, si crees que voy a pasar mi noche de bodas en una playa y que voy a consumar en ella mi matrimonio con guijarros clavándoseme en la piel y con la arena metiéndose en lugares en los que prefiero no pensar, estás muy...

–¿Acertado? –terminó él esperanzado con una sonrisa en los labios.

–No me tientes –dijo ella. Sintió que su resolución se quebraba y empezó a deshacerse de nuevo por él...

Bastiaan se incorporó y se arrodilló junto a ella. Entonces, sin hacer esfuerzo alguno, la levantó en brazos. Ella lanzó una exclamación de sorpresa y se le abrazó al cuello para no caerse.

–No –dijo él–. Tienes razón. Necesitamos una cama. Una cama grande y cómoda. Y da la casualidad de que tengo una muy cerca.

La llevó a través del jardín hasta la casa. Era mucho más sencilla que la villa de Cap Pierre, pero su privacidad era absoluta.

La boda había tenido lugar en Atenas hacía unas pocas horas. Habían estado acompañados por amigos y familiares. Los padres de Sarah, la tía y el primo de Bastiaan... Philip se había alegrado mucho al enterarse de que se iban a casar. Incluso la madre de Bastiaan había volado desde Los Ángeles para asistir al enlace, del que estaba encantada.

Max había llevado a Sarah al terminar los ensayos de una producción de la *Cavalleria Rusticana,* en la que él era el director y Sarah interpretaba a Santuzza en una prestigiosa ciudad alemana. Le había dejado muy claro que la única razón por la que toleraba su ausencia era porque se casaba con un hombre extremadamente rico y extremadamente generoso que, además, era mecenas de la ópera y que, por supuesto, no pensaba renunciar al patrocinio continuo que Bastiaan suponía para él.

–¡Que la luna de miel sea breve y apasionada! –le había ordenado Max–. Tu carrera está despegando y tiene que ser lo primero.

Sarah había asentido, pero, en secreto, estaba en desacuerdo. Su arte y su amor siempre estarían al mismo nivel. Su vida sería muy ajetreada, no había duda de ello, y ya tenía más compromisos futuros de los que nunca hubiera podido soñar. Sin embargo, ninguno de esos compromisos desplazaría nunca a la persona que, durante toda su vida, ocuparía el centro del escenario junto con su propia existencia.

Lo miró con el amor ardiéndole en los ojos mientras él la llevaba en brazos hasta el dormitorio. Una vez allí, la depositó suavemente en la cama y se tumbó a su lado.

–¡Cuánto... cuánto te amo! –exclamó él, el hombre al que ella adoraba.

Sarah levantó los labios para unirlos a los de él. Lenta y dulcemente, apasionada y posesivamente, empezaron juntos el que sería su viaje al futuro.